Supermodelos y maquetas de ciencias

Supermodelos y maquetas de ciencias

Janice VanCleave

LIMUSA • WILEY

VanCleave, Janice
Supermodelos y maquetas de ciencias = Janice VanCleave´s super science models / Janice VanCleave. -- México : Limusa Wiley, 2007.
140 p. : il. ; 21 x 27.5 cm.
ISBN-13: 978-968-18-6710-2
Rústica.
1.Modelos matemáticos
I. Gómez de Segura, Lisy, tr. II. Aiello, Laurel, il.

LC: QA401 Dewey: 502.2'8

TRADUCCIÓN AUTORIZADA DE LA EDICIÓN EN INGLÉS, PUBLICADA POR JOHN WILEY & SONS, LTD. CON EL TÍTULO:
JANICE VANCLEAVE´S SUPER SCIENCE MODELS

COLABORADOR EN LA TRADUCCIÓN
LISY GÓMEZ DE SEGURA

EL EDITOR Y LA AUTORA SE HAN ESFORZADO PARA GARANTIZAR LA SEGURIDAD DE LOS EXPERIMENTOS Y ACTIVIDADES PRESENTADOS EN ESTAS PÁGINAS CUANDO SE REALIZAN EN LA FORMA INDICADA, PERO NO ASUMEN RESPONSABILIDAD ALGUNA POR DAÑOS CAUSADOS O PROVOCADOS AL LLEVAR A CABO CUALQUIER EXPERIMENTO O ACTIVIDAD DE ESTE LIBRO. LOS PADRES, TUTORES Y MAESTROS DEBEN SUPERVISAR A LOS JÓVENES LECTORES CUANDO ÉSTOS LLEVEN A CABO LOS EXPERIMENTOS Y ACTIVIDADES DESCRITOS EN ESTE LIBRO.

GRUPO NORIEGA EDITORES
BALDERAS 95, MÉXICO, D.F.
C.P. 06040
51 30 0700
55 12 2903
limusa@noriega.com.mx
www.noriega.com.mx

CANIEM NÚM. 121

PRIMERA EDICIÓN
HECHO EN MÉXICO
ISBN-13: 978-968-18-6710-2

Dedicatoria

Con mucho agrado, dedico este libro a un marido modelo.
Mi compañero y mejor ayudante: Wade VanCleave.

Agradecimientos

Reciban el testimonio de mi gratitud los siguientes educadores que me ayudaron al someter a prueba las actividades y/o al proporcionarme información científica, así como los alumnos de la escuela primaria de la doctora Nancy Cherry, instructora de la Universidad Lamburth de Jackson, Tennessee: Brandy Clement, Susan Crownover, Kendra Edwards, Amity Freytag, Holli Helms, Laticia Hicks, Nikki Keener, Jodie Leach, Kristen Malone, Karrinn Penrod, Brandi Phillips, Glenda Raven, Bridget Smith y Krista Vaughn.

Contenido

Unidades de medida

Acerca de las unidades de medida usadas en este libro:

- Como podrás ver, en los experimentos científicos en este libro se emplean el Sistema Internacional de Unidades (sistema métrico) y el sistema inglés, pero es importante hacer notar que las medidas intercambiables que se dan son aproximadas, no los equivalentes exactos.

- Por ejemplo, cuando se pide un litro, éste se puede sustituir por un cuarto de galón, ya que la diferencia es muy pequeña y en nada afectará el resultado.

- Para evitar confusiones, a continuación tienes unas tablas con los equivalentes exactos y con las aproximaciones más frecuentes.

ABREVIATURAS		
atmósfera = atm	yarda = yd	onza = oz
milímetro = mm	pie = ft	cucharada = C
centímetro = cm	taza = t	cucharadita = c
metro = m	galón = gal	litro = l
kilómetro = km	pinta = pt	mililitro = ml
pulgada = pulg (in)	cuarto de galón = qt	

TEMPERATURA		
Sistema inglés	*Sistema Internacional (métrico decimal)*	
32 °F (Fahrenheit)	0 °C (Celsius)	Punto de congelación
212 °F	100 °C	Punto de ebullición

MEDIDAS DE VOLUMEN (LÍQUIDOS)		
Sistema inglés	*Sistema Internacional (métrico decimal)*	*Aproximaciones más frecuentes*
1 galón	= 3.785 litros	4 litros
1 cuarto de galón (E.U.)	= 0.946 litros	1 litro
1 pinta (E.U.)	= 473 mililitros	1/2 litro
1 taza (8 onzas)	= 250 mililitros	1/4 de litro
1 onza líquida (E.U.)	= 29.5 mililitros	30 mililitros
1 cucharada	= 15 mililitros	
1 cucharadita	= 5 mililitros	

UNIDADES DE LONGITUD (DISTANCIA)		
Sistema inglés	*Sistema Internacional (métrico decimal)*	*Aproximaciones más frecuentes*
1/8 de pulgada	= 3.1 milímetros	3 mm
1/4 de pulgada	= 6.3 milímetros	5 mm
1/2 pulgada	= 12.7 milímetros	12.5 mm
3/4 de pulgada	= 19.3 milímetros	20 mm
1 pulgada	= 2.54 centímetros	2.5 cm
1 pie	= 30.4 centímetros	30 cm
1 yarda (= 3 pies)	= 91.44 centímetros	1 m
1 milla	= 1,609 metros	1.5 km

UNIDADES DE MASA (PESO)		
Sistema inglés	*Sistema Internacional (métrico decimal)*	*Aproximaciones más frecuentes*
1 libra (E.U.)	= 453.5 gramos	1/2 kilo
1 onza (E.U.)	= 28 gramos	30 g

Introducción

¿Conque quieres hacer un modelo científico? ¡Excelente! Podrás enseñar y presumir tu trabajo a tu grupo, y hasta puedes ser premiado por tu proyecto científico. Pero lo mejor de todo es que aprenderás muchas cosas respecto de las ciencias mientras investigas y compartes con tus compañeros todo lo que has aprendido.

Los científicos suelen usar modelos para facilitar la descripción de las cosas. Un **modelo** es una representación de un objeto o un sistema, incluyendo diagramas y estructuras tridimensionales. Algunos modelos son más grandes que los objetos que representan, como por ejemplo el modelo de una célula. Otros modelos son más pequeños que los objetos que representan, como un modelo del sistema solar.

Este libro te ofrece divertidas ideas para modelos relacionados con una amplia variedad de temas, tales como astronomía, biología, química, ciencias de la Tierra y física. Si hojeas este libro, encontrarás ideas sobre cómo se presentan algunos de los modelos. El método básico para presentar el modelo descrito en un capítulo, así como la información en los apéndices, pueden aplicarse para presentar otros temas. Por ejemplo, en un capítulo se usan libros con ceja para presentar la información sobre telescopios, pero los libros con solapa también pueden resultar útiles para presentar información sobre otros temas. En los 25 capítulos principales descubrirás hechos acerca del tema de los modelos, ideas para otros modelos, así como ideas respecto de cómo presentar tu modelo. Los 12 apéndices de este libro explican diferentes técnicas de presentación, desde libros con solapas hasta exhibidor de tres secciones que pueden usarse para muchos y muy variados tipos de proyectos. A ti te corresponde escoger el tema y desarrollar las ideas del modelo para fabricar tu propio y fenomenal modelo.

CÓMO USAR ESTE LIBRO

Puedes empezar en cualquier parte del libro. Revisa los capítulos para encontrar un tema que te parezca interesante. Antes de iniciar tu proyecto, lee completo el capítulo que escojas. Después, reúne todos los materiales necesarios para hacer el modelo y sigue con cuidado los procedimientos. El formato de cada capítulo es el siguiente:

- **Haz un modelo de:** un enunciado que introduce el tema del modelo. Después de este enunciado viene información científica sobre el tema del modelo.

- **Actividad:** una actividad que ofrece información para desarrollar un modelo básico sobre el tema estudiado. Cada actividad incluye un **Objetivo**, que identifica el modelo que se va a hacer, una lista completa de **Materiales** fáciles de conseguir, **Procedimientos** paso por paso, una sección que identifica los **Resultados esperados**, y una sección **¿Por qué?**, que proporciona información específica sobre el modelo.

- **¡Por tu cuenta!**: divertidas actividades adicionales relacionadas con el tema y/o ideas para su presentación. Muchas de las ideas para la presentación te remiten a las instrucciones incluidas en los apéndices.

I

ASTRONOMÍA

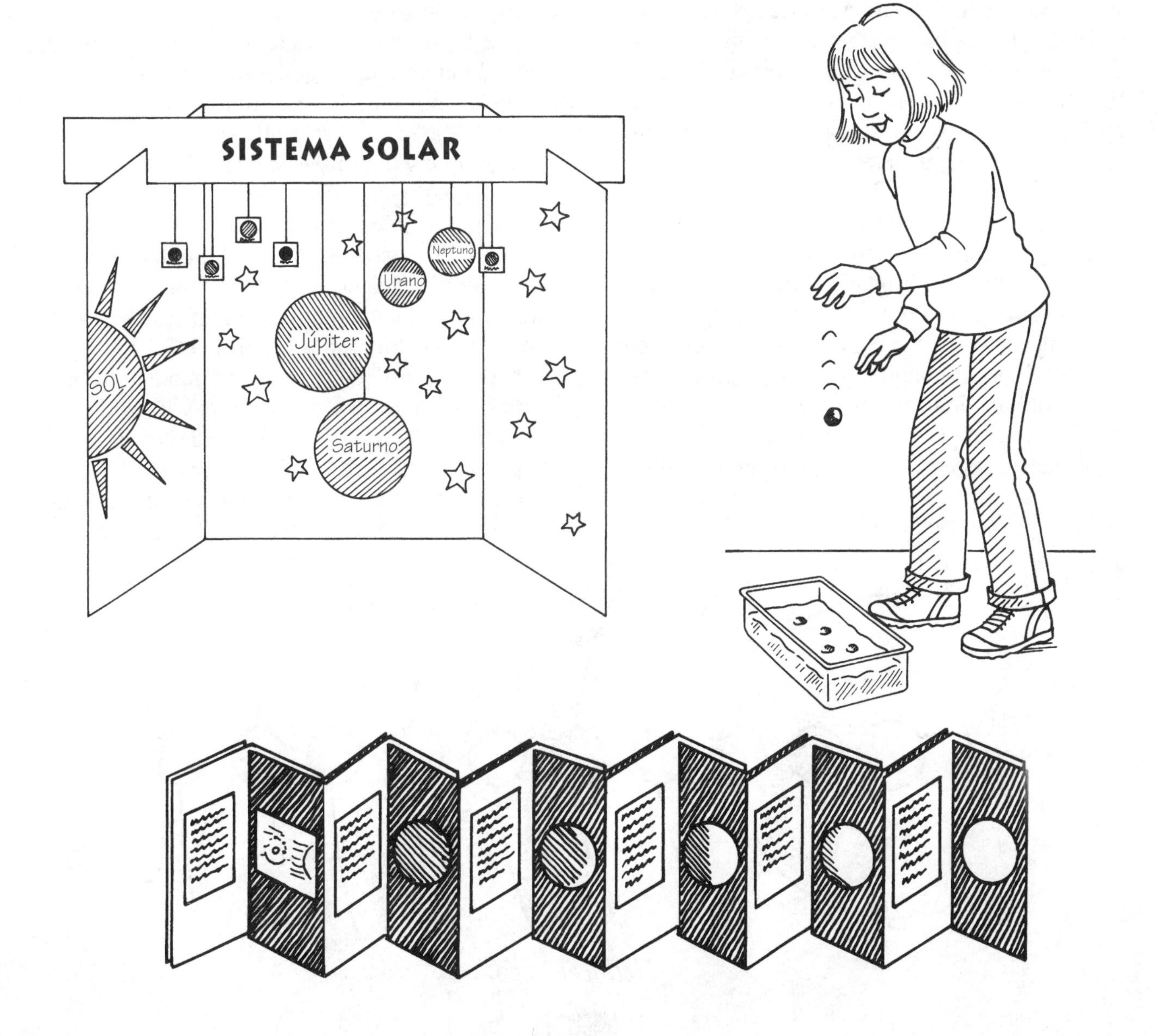

1

En fila india

¡Haz un modelo del sistema solar!

Los **cuerpos celestes** son objetos naturales que se encuentran en el cielo, como las **estrellas** (cuerpos compuestos de gases tan calientes que emiten luz), los **planetas** (cuerpos que giran alrededor de un sol y que brillan sólo gracias a la luz que reflejan) y las **lunas** (cuerpos que giran alrededor de los planetas y que brillan sólo gracias a la luz que reflejan). **Orbitar** significa moverse siguiendo una trayectoria curva cerrada alrededor de otro cuerpo. La trayectoria que un cuerpo celeste sigue alrededor de otro se llama **órbita.** Un **sistema solar** es un grupo de cuerpos celestes que giran alrededor de un cuerpo central, una estrella llamada **sol.**

Los cuerpos que orbitan nuestro Sol incluyen los **planetas menores** (pequeños cuerpos rocosos situados principalmente entre las órbitas de Marte y Júpiter; también se llaman **asteroides**), nueve **planetas mayores** (planetas con diámetro mayor que el de Ceres, el asteroide más grande) y sus lunas, los **cometas** (cuerpos de polvo, gases y hielo que se mueven en una trayectoria en extremo alargada) y detritos espaciales.

Los principales planetas en orden a partir del Sol son Mercurio, Venus, Tierra, Marte, Júpiter, Saturno, Urano, Neptuno y Plutón. El diagrama muestra los planetas en orden a partir del Sol pero no representa su distancia al mismo.

El **universo** es la Tierra y todo lo demás que se encuentra en el espacio. Los primeros modelos del universo eran **geocéntricos** (con la Tierra como centro). El astrónomo griego Aristóteles (384-322 a.C.) sostenía el punto de vista geocéntrico y durante casi dos mil años la mayoría de la gente consideró ciertas sus ideas sobre el universo. Tolomeo (87-165), un influyente astrónomo romano, coincidía con el punto de vista geocéntrico de Aristóteles. Nadie cuestionó la teoría de Tolomeo hasta que, en 1543, el astrónomo polaco Nicolás Copérnico (1473-1543) publicó un libro que proponía un modelo **heliocéntrico** (con el Sol como centro). El científico italiano Galileo Galilei (1564-1642) coincidió con el punto de vista de Copérnico de que el Sol era el centro del universo. Pero fue sólo hasta finales del siglo XVII que el modelo heliocéntrico fue

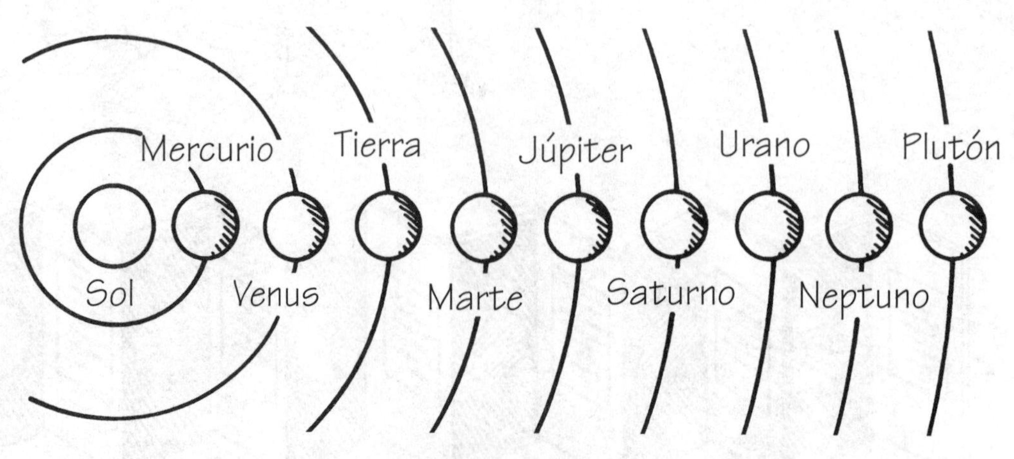

Heliocéntrico

Mercurio y Venus se llaman **planetas inferiores** porque su órbita está más cerca del Sol que la de la Tierra. Mercurio es el más pequeño de los planetas inferiores y el más cercano al Sol. Orbita el Sol una vez cada 88 días terrestres. (Un **día terrestre** consta de aproximadamente 24 horas y es el tiempo que necesita la Tierra para **rotar**, es decir, para girar alrededor de su **eje**, la línea imaginaria que pasa por el centro de un cuerpo alrededor de la cual rota dicho cuerpo.) Venus es el segundo planeta a partir del Sol. Orbita el Sol en 225 días terrestres. Venus suele ser el planeta más fácil de ver en el cielo y es más brillante que cualquier estrella.

Los planetas cuyas órbitas están más alejadas del Sol que la de la Tierra se llaman **planetas superiores**. Los planetas superiores son Marte, Júpiter, Saturno, Urano, Neptuno y Plutón. Marte se llama el planeta rojo por su brillo rojizo. Este color rojizo se debe al hierro oxidado de su suelo. Marte orbita el Sol en 1.9 años terrestres. (Un **año terrestre** es el tiempo que necesita la Tierra para orbitar alrededor del Sol, aproximadamente 365 días.)

Júpiter es el planeta más grande. Se compone principalmente de gases y tiene una tormenta en su **atmósfera** (la capa de gas que rodea un cuerpo celeste) que tiene el aspecto de una mancha roja. Esta mancha es más grande que la Tierra. Júpiter tarda 11.9 años terrestres para orbitar el Sol.

Saturno es 9.4 veces más grande que la Tierra. Es el planeta más distante que es relativamente fácil de ver en el cielo sin telescopio. Con un telescopio, pueden verse los anillos de Saturno. Saturno tarda 29.5 años terrestres para orbitar el Sol.

Urano es cuatro veces más grande que la Tierra. En condiciones adecuadas, puede verse a simple vista. Fue el primer planeta en ser descubierto a través de un telescopio. Necesita 84 años terrestres para orbitar el Sol.

Neptuno es casi cuatro veces más grande que la Tierra. El astrónomo alemán Johann Galle (1812-1910) fue el primero en observar este planeta con un telescopio en 1846. Para orbitar el Sol, Neptuno necesita 164.8 años terrestres.

El tamaño de Plutón es aproximadamente una cuarta parte del de la Tierra. El astrónomo estadounidense Percival Lowell (1855-1916) predijo la existencia de Plutón y en 1930 el astrónomo estadounidense Clyde William Tombaugh (1906-1997) descubrió a Plutón cerca de esa posición. Plutón tarda 247.7 años terrestres para orbitar el Sol.

aceptado por la mayor parte de los astrónomos. Hoy en día se sabe que nuestro sistema solar es una parte muy pequeña de una **galaxia** (grupo de millones de estrellas, gas, polvo y otros cuerpos celestes) llamada la Vía Láctea. Esta galaxia sólo es una de tantas en el universo. También se sabe que nuestro Sol no es el centro del universo, sólo el centro de nuestro sistema solar.

ACTIVIDAD: ORDEN DE LOS PLANETAS

Objetivo

Hacer un modelo del orden y tamaño relativo de los planetas de nuestro sistema solar.

Materiales

2 piezas de cartulina azul de 55 × 70 cm (22 × 28 pulgadas)
pegamento
metro
compás
bolígrafo
2 piezas de cartulina de 22.5 × 30 cm (9 × 12 pulgadas): una de color naranja y otra blanca
tijeras
2 marcadores negros: uno de punto grueso y otro de punto fino
regla
lápiz
2 piezas de cartulina blanca de 55 × 70 cm (22 × 28 pulgadas)
cuadrado de cartulina blanca
9 crayolas de colores diferentes: una azul, una roja y 7 de otros colores, excepto amarillo
cinta adhesiva transparente
cordel

Procedimiento

1. Con la cartulina azul, haz un exhibidor vertical angosto de tres secciones con una tira para el título siguiendo las instrucciones del apéndice 1, parte A.

2. Con el compás, traza un gran semicírculo [de 20 cm (8 pulgadas) de diámetro] en la cartulina naranja. También traza triángulos largos y angostos [de 10 cm (4 pulgadas)] para representar los rayos solares. Recorta el semicírculo y los triángulos. Con el marcador de punta gruesa, escribe "Sol" en la figura curva. Pega el Sol y los rayos solares en la sección izquierda del exhibidor como se muestra en la figura.

3. Dobla la cartulina blanca a la mitad dos veces. Dibuja cuatro estrellas en la cartulina doblada. Recorta las estrellas cortando a través de las cuatro capas de papel. Pega las estrellas en las secciones central y derecha del exhibidor.

4. Con el marcador de punta gruesa, escribe el título "Sistema Solar" en la tira del exhibidor.

5. Con la regla y el lápiz, traza un cuadrado de 3.75 cm ($1^1/_2$ pulgadas) en la cartulina blanca. Recorta el cuadrado y úsalo para trazar cuatro cuadrados más sobre la cartulina blanca. Recorta los cuatro cuadrados.

6. Dibuja un círculo de unos 0.2 cm de diámetro en el centro de cada lado de un cuadrado de cartulina. Escribe "Plutón" en ambos lados del cuadrado.

7. Repite el paso 6 con los cuadrados restantes de cartulina para cada uno de los planetas de la tabla siguiente.

Tamaño de los planetas del modelo	
Nombre del planeta	**Diámetro del modelo**
Plutón	0.2 cm
Mercurio	0.5 cm
Marte	0.7 cm
Venus	1.2 cm
Tierra	1.3 cm

8. Con el compás, traza un círculo de 5 cm de diámetro en la cartulina restante. Recorta el círculo y escribe "Urano" en ambos lados.

9. Repite el paso 8 con los tamaños de la tabla siguiente para hacer el círculo correspondiente a cada uno de los planetas restantes.

Tamaño de los planetas del modelo	
Nombre del planeta	**Diámetro del modelo**
Urano	5 cm
Neptuno	5 cm
Saturno	12 cm
Júpiter	12 cm

10. Colorea con la crayola azul ambas caras del cuadrado del planeta Tierra. Colorea de rojo el círculo de Marte. Con las crayolas restantes, ilumina el resto de los planetas con los colores que te gusten.

11. Corta dos trozos de cordel de 35 cm (16 pulgadas) cada uno. Con cinta adhesiva pega un trozo de cordel a la parte superior de los modelos de Júpiter y Saturno.

12. Corta siete trozos de cordel de 25 cm (10 pulgadas) cada uno. Con cinta adhesiva pega un trozo de cordel a la parte superior de cada uno de los modelos de los planetas restantes.

13. Con la tira del título en su sitio en el exhibidor, fija en ella los extremos libres de los cordeles, de manera que los modelos empiecen a 15 cm (6 pulgadas) del borde inferior de la tira en el orden siguiente desde la izquierda: Mercurio, Venus, Tierra, Marte, Júpiter, Saturno, Urano, Neptuno y Plutón.

14. Ajusta el largo de los cordeles para que los planetas no queden encimados, haciendo que algunos cordeles sean más largos que otros.

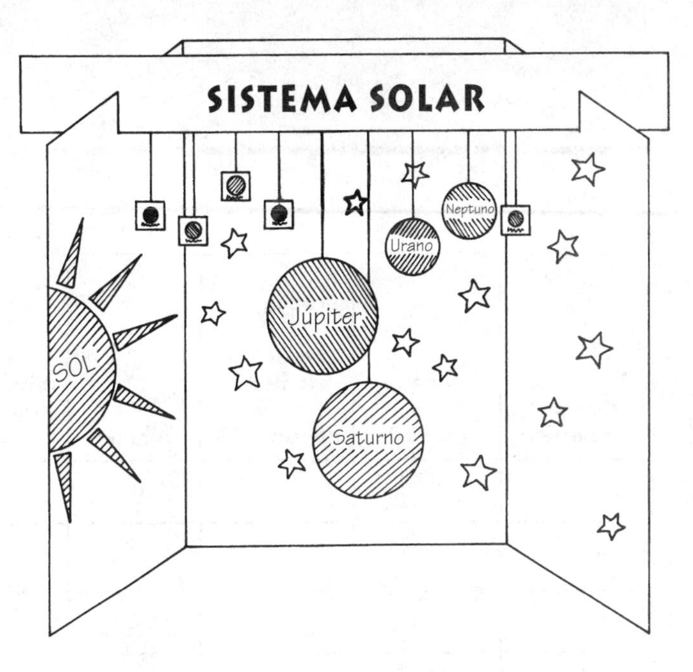

Resultados

Acabas de hacer un modelo del tamaño relativo de cada planeta en orden desde el Sol.

¿Por qué?

Este modelo representa los planetas conocidos en orden desde el Sol. Sólo representa el tamaño relativo de los planetas, pero no la distancia real entre ellos.

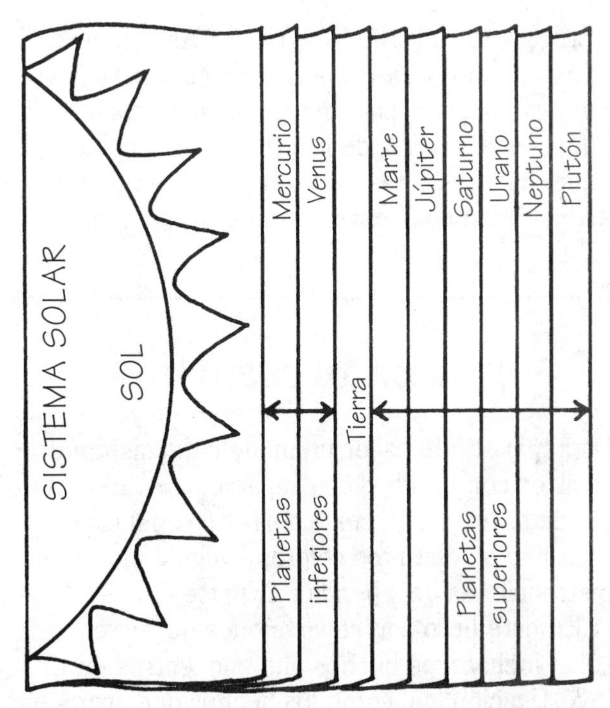

Datos de los planetas							
Cuerpo celeste	Diámetro, km (millas)	Densidad promedio, g/ml (agua = 1)	Albedo	Afelio o mayor distancia del Sol, millones de km (millones de millas)	Perihelio o menor distancia del Sol, millones de km (millones de millas)	Distancia promedio del Sol, millones de km (millones de millas)	Periodo de rotación, horas
Mercurio	4,878 (3,047)	5.4	0.1	70 (44)	46 (29)	58 (36)	1,407.5
Venus	12,100 (7,562)	5.3	0.76	109 (68)	107 (67)	108 (68)	5,832
Tierra	12,757 (7,973)	5.5	0.39	152 (95)	147 (92)	149 (93)	24
Marte	6,796 (4,247)	3.9	0.16	249 (156)	207 (129)	228 (143)	24.6
Júpiter	143,800 (89,875)	1.3	0.52	816 (510)	741 (463)	778 (486)	9.8
Saturno	120,660 (75,412)	0.7	0.61	1,507 (942)	1,347 (842)	1,427 (892)	10.2
Urano	51,118 (31,949)	1.2	0.35	3,000 (1,875)	2,740 (1,712)	2,870 (1,794)	15.2
Neptuno	49,500 (30,937)	1.7	0.35	4,540 (2,838)	4,452 (2,782)	4,497 (2,810)	16
Plutón	2,294 (1,434)	2.0	0.5	7,366 (4,604)	4,434 (2,771)	5,900 (3,688)	153

ÚLTIMAS NOTICIAS

En agosto del 2006, la Unión Astronómica Internacional, en su XXVI Asamblea General, decidió degradar a Plutón y clasificarlo como el asteroide número 134.340, debido a que "no cumple una de las nuevas normas para ser planeta, es decir, haber despejado la trayectoria de su órbita en torno al Sol, pues ésta cruza la de Neptuno". Sin embargo, han aparecido innumerables iniciativas a fin de que se dé marcha atrás a esa decisión y Plutón recupere su estatus de planeta. Por tratarse de un debate abierto, consideramos aventurado, por el momento, quitarle la etiqueta de noveno planeta de nuestro sistema solar.

¡POR TU CUENTA!

Otra manera de hacer un modelo del sistema solar es con un libro con separaciones. Este libro puede hacerse con cinco hojas de papel carta o cartulina de distintos colores y siguiendo las instrucciones del apéndice 2, parte C.

En este libro con separaciones del sistema solar, incluye los hechos que encuentres en tu investigación, así como los hechos que aparecen en la introducción de este capítulo y los que se listan en la tabla "Datos de los planetas".

BIBLIOGRAFÍA RECOMENDADA

Fierro, Julieta, *Cómo acercarse a la astronomía*, México, Editorial Limusa.

García Barreto, José Antonio, *Astronomía básica*, México, UNAM-FCE.

VanCleave, Janice, *Astronomía para niños y jóvenes*, México, Editorial Limusa.

2

La cara iluminada

¡Haz un modelo de las fases de la Luna!

La forma de la Luna da la impresión de cambiar día con día. Estas formas de la cara de la Luna iluminada por el Sol que se ven desde la Tierra se llaman **fases lunares**. Las fases son visibles porque la Luna gira alrededor de la Tierra, de la misma manera que el sistema Tierra/Luna gira alrededor del Sol. Lo mismo que la mitad de la Tierra tiene luz diurna y la otra tiene oscuridad nocturna, así, cerca de la mitad de la Luna recibe luz solar y la otra mitad no la recibe. Las fases de la Luna dependen de la superficie de la Luna iluminada que puede verse desde la Tierra en un momento dado.

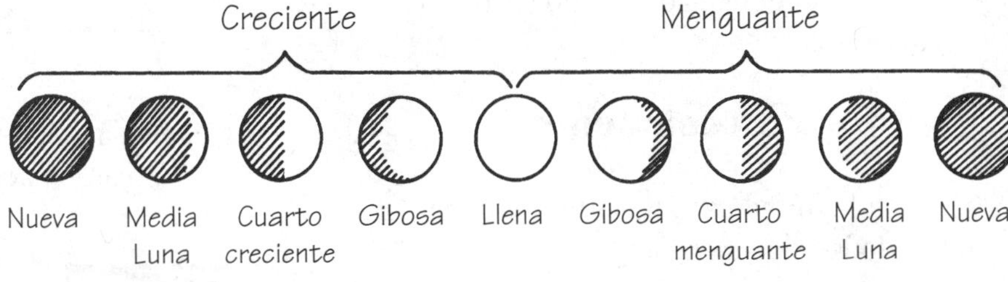

La posición relativa de la Luna respecto del Sol cambia a diario. Entre más alejada se encuentre la Luna del Sol en su órbita alrededor de la Tierra, podremos ver una superficie mayor de la cara iluminada. Cuando la Luna se encuentra enfrente del Sol con la Tierra en medio, pero sin bloquear la luz solar, la cara de la Luna que da a la Tierra está iluminada y es visible. Esta fase se llama **luna llena**. Cuando la Luna se encuentra entre la Tierra y el Sol, la cara iluminada queda atrás de la Tierra y la cara que da a la Tierra no está iluminada. Esta fase se llama **luna nueva**. Cuando la Luna se encuentra entre estas dos posiciones, pueden verse diferentes fracciones de la cara iluminada. El tiempo necesario para que la Luna dé una vuelta completa alrededor de la Tierra y pase por todas sus fases es de unos 29 días y se llama **mes lunar**.

Después de la luna nueva, cada día se hace visible un parte mayor de la cara iluminada de la Luna y se dice que las fases son **crecientes** (que aumentan de tamaño). La primera parte de la cara iluminada es visible unas 24 horas después de la fase de luna nueva. Esta fase se llama **media luna creciente** y tiene el aspecto de una pequeña sección curva terminada en punta, como unos cuernos de vaca. Unos siete días después de la luna nueva, la mitad de la cara visible de la Luna está iluminada. Ésta es la fase del **cuarto creciente**, llamada así por haber transcurrido aproximadamente una cuarta parte del mes lunar. La fase siguiente es la **gibosa creciente**, la cual tiene una superficie iluminada mayor que el cuarto creciente, aunque menor que la fase de luna llena.

Después de la luna llena, la Luna sigue las mismas fases, sólo que a la inversa. Estas fases se califican como **menguantes** (que disminuyen de tamaño). Las fases menguantes son la **gibosa menguante**, el **cuarto menguante** (cuando la mitad de la cara visible de la Luna está iluminada y han transcurrido tres cuartas partes del mes lunar) y la **media luna menguante**. Entonces el ciclo se inicia de una vez más con la luna nueva.

ACTIVIDAD: FASES DE LA LUNA

Objetivo

Hacer un modelo de las fases de la Luna.

Materiales

12 piezas de cartulina de 22.5 × 30 cm (9 × 12 pulgadas): 6 negras y 6 blancas

tijeras
2 o 3 hojas de periódico
pegamento
bolígrafo
transportador
2 tarjetas de archivo blancas sin rayas de 7.5 × 12.5 cm (3 × 5 pulgadas)
compás
4 hojas de papel blanco tamaño carta
crayola color negro

Procedimiento

1. Dobla a la mitad cada hoja de cartulina uniendo los dos lados angostos.
2. Desdobla las hojas de cartulina.
3. Cubre una mesa con periódico para protegerla.
4. Coloca una hoja de cartulina blanca sobre el periódico.
5. Pega la mitad izquierda de una de las hojas negras sobre la mitad derecha de la hoja blanca. Después pega la mitad izquierda de una segunda hoja blanca sobre la mitad derecha de la hoja negra, como se indica en el dibujo.
6. Sigue pegando hojas de cartulina alternando entre negro y blanco hasta terminar con el lado derecho de una hoja blanca. Te sobrará una pieza de papel negro.

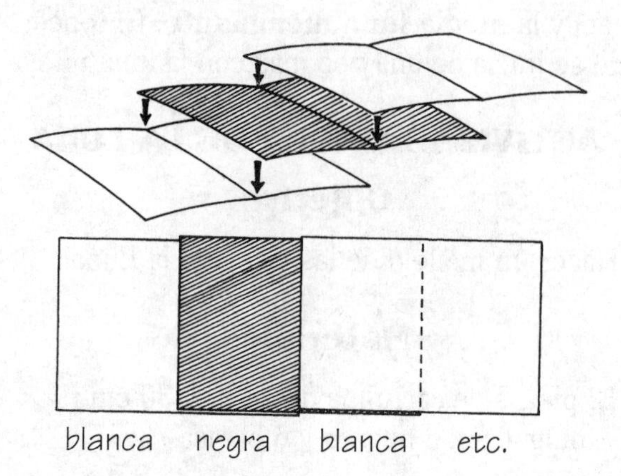

7. Corta en dos la hoja de cartulina negra que te sobró siguiendo el doblez.
8. Pega una de las mitades de cartulina negra sobre el lado derecho de la última hoja de cartulina blanca.
9. Voltea las hojas de cartulina pegadas y pega la otra mitad de cartulina negra sobre el lado derecho de la primera hoja de cartulina blanca.
10. Deja secar el pegamento y luego dobla las hojas en acordeón.

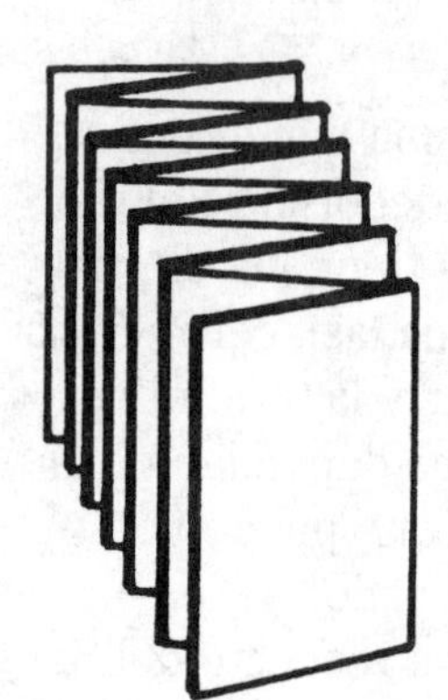

11. En una de las tarjetas de archivo, usando el bolígrafo y el transportador, traza un diagrama de las fases crecientes de la Luna, mostrando las posiciones de la Luna, la Tierra y el Sol, como el que se muestra en el dibujo. El encabezado de la tarjeta es "Fases crecientes de la Luna".

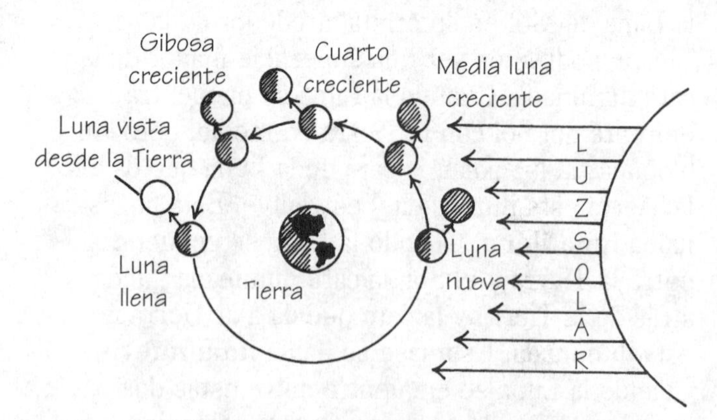

FASES CRECIENTES DE LA LUNA

12. Pega la tarjeta con las fases crecientes de la Luna en la primera sección negra de cartulina.
13. Con el compás, traza cinco círculos de 10 cm (4 pulgadas) de diámetro en el papel carta blanco.

14. Con la crayola negra, pinta en los círculos las partes no iluminadas de las cinco fases crecientes, como se muestra al inicio de este capítulo en la página 19.

15. Recorta los círculos y pégalos, siguiendo el orden de las fases, en las cinco secciones negras restantes.

16. Con el modelo de cartulina estirado sobre la mesa y con la luna llena a la derecha, voltea el modelo. Hazlo levantando el lado derecho y dándole vuelta a la izquierda. Las fases de la luna deben quedar en la parte inferior del modelo, con la luna llena abajo del extremo izquierdo.

17. Repite los pasos 12 y 13 para mostrar la posición de la Tierra, el Sol y la Luna durante las fases menguantes de la Luna.

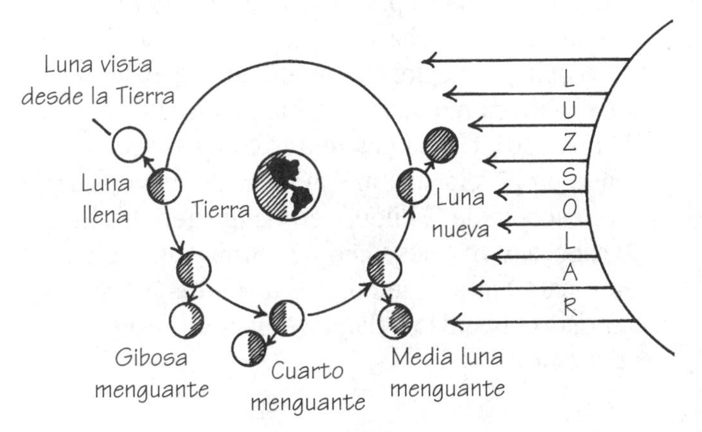

FASES MENGUANTES DE LA LUNA

18. Repite los pasos 13 al 15 con las fases menguantes.

19. Dobla las secciones en acordeón y haz presión para marcar los dobleces. Después abre tu modelo y páralo sobre las orillas para mostrar las fases.

Resultados

Acabas de hacer un modelo de las fases crecientes y menguantes de la Luna.

¿Por qué?

En el Hemisferio Norte, durante las fases crecientes de la Luna, la parte iluminada de la Luna se encuentra a la derecha. Pero durante las fases menguantes, la parte iluminada está a la izquierda. De esta manera, en el Hemisferio Norte puedes saber si las fases de la Luna son crecientes o menguantes.

¡POR TU CUENTA!

Puedes agregar información acerca de cada diagrama representado en tu modelo. Hazlo escribiendo directamente en la hoja en blanco que está enfrente de cada diagrama, o escribiendo en tarjetas de archivo de colores y pegándolas en las hojas blancas. En la parte superior anota el nombre del diagrama representado en la hoja negra de enfrente. Abajo puedes incluir información adicional relacionada con el diagrama.

BIBLIOGRAFÍA RECOMENDADA

Fierro, Julieta, *La familia del Sol*, México, FCE.
VanCleave, Janice, *Enseña la ciencia de forma divertida*, México, Editorial Limusa.

3

Miradores

¡Haz el modelo de un telescopio!

Nadie sabe quién fue el primero en lograr la combinación correcta de lentes para hacer el primer telescopio (instrumento utilizado para que objetos distantes parezcan más cercanos). Se cuenta que unos niños que jugaban en una óptica de Ámsterdam cuyo dueño se llamaba Hans Lippershey (c. 1570-1619), miraron por casualidad a través de dos lentes al mismo tiempo y vieron un asombroso mundo amplificado. Otra historia afirma que fue el propio Lippershey quien hizo el descubrimiento. Sea como fuere, Lippershey mejoró el descubrimiento poniendo dos lentes en un tubo, uno en cada extremo. Llamó a su invento un “mirador”, y vendió varios en su óptica. El mirador de Lippershey hizo posible la observación de objetos distantes.

Se le suele dar crédito al astrónomo italiano Galileo Galilei (1564-1642) por la invención del telescopio, así como por haber sido la primera persona en estudiar el cielo con este instrumento. Galileo no inventó el telescopio, pero le hizo mejoras. Y quizá Galileo no haya sido el primero en usar un telescopio para observar el cielo, pero fue el primero en comunicar grandes descubrimientos astronómicos, como el hecho de que Júpiter tiene lunas.

En el telescopio de Galileo, la **lente objetivo** (la lente en el extremo de un telescopio que apunta a un objeto que se observa) era **cóncava** (curva hacia adentro, como la superficie de un plato). El **ocular** (la lente del telescopio por la que se mira) era **convexa** (curva hacia afuera, como la superficie de una pelota). Esta combinación de lentes producía una **imagen** (la forma de un objeto producida por una lente o un espejo) derecha y de mayor tamaño. El telescopio de Kepler fue inventado en 1611 por el astrónomo alemán Johannes Kepler (1571-1630). Usaba dos lentes convexas, por lo que proporcionaba una ampliación mayor que el telescopio de Galileo, pero la imagen estaba de cabeza. (Un telescopio que utiliza una sola lente para lograr que objetos distantes parezcan más cercanos se llama **telescopio de refracción.**)

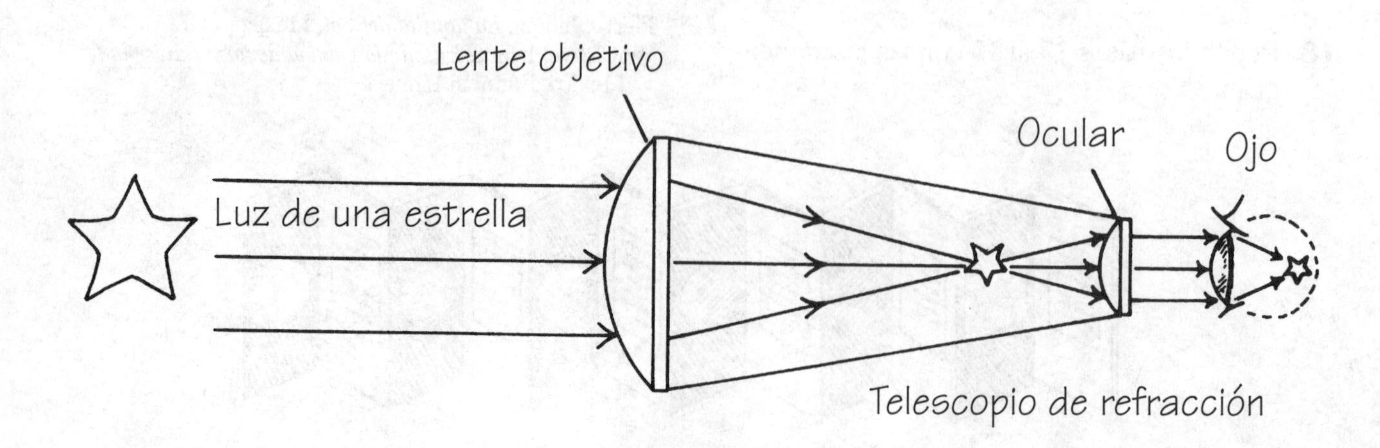

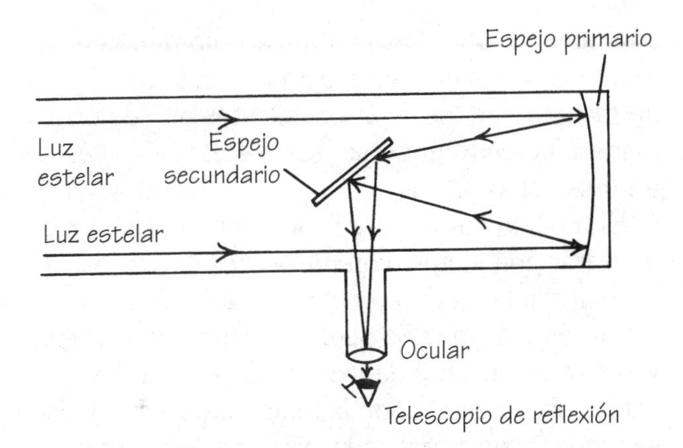

Telescopio de reflexión

En 1721, Isaac Newton (1642-1727) mejoró el diseño del telescopio usando una combinación de espejos con una lente. Éste se llama **telescopio de reflexión** (telescopio que usa lentes y espejos para que objetos distantes parezcan más cercanos) o **telescopio de Newton.** Hoy en día, los telescopios más grandes del mundo son los telescopios Keck en Hawaii, que son telescopios de reflexión con una apertura de unos 10 m (33 pies). La **apertura** es el diámetro de la lente que recibe la luz en un telescopio de refracción o el espejo primario en un telescopio de reflexión. El Telescopio Espacial Hubble (TEH), con una apertura de unos 2.4 m (8 pies), es un telescopio de reflexión que orbita la Tierra. Fue lanzado el 25 de abril de 1990 y se usa para observar objetos distantes en el espacio. El Hubble tendrá que reemplazarse en un futuro cercano.

ACTIVIDAD: TELESCOPIO DE REFRACCIÓN

Objetivo

Hacer un modelo de un telescopio de refracción.

Materiales

cinta adhesiva transparente
tijeras
papel blanco para forrar
caja de cartón con dos lados de por lo menos 27.5 × 40 cm (11 × 16 pulgadas)
1 hoja de papel carta de color claro (el amarillo funciona bien, pero puedes usar cualquier color claro)
lápiz
regla
marcador negro de punta fina
lápiz adhesivo

Procedimiento

1. Usa las tijeras y la cinta adhesiva para envolver la caja con papel para forrar de manera que uno de los lados de 27.5 × 40 cm (11 × 16 pulgadas) o más grande tenga una superficie lisa.

2. En la hoja de papel de color, usa el lápiz y la regla para dibujar un telescopio de refracción, usando la figura que aparece más abajo como referencia e identificando las partes siguientes: (1) Luz proveniente de un objeto distante, (2) Lente objetivo, (3) Rayo de luz refractado, (4) Primera imagen, (5) Ocular y (6) Segunda imagen.

3. Dibuja una cara en el papel para que represente un ojo mirando por el ocular del telescopio.

4. Dibuja una Luna creciente en el extremo del telescopio que está al otro lado de la cara.

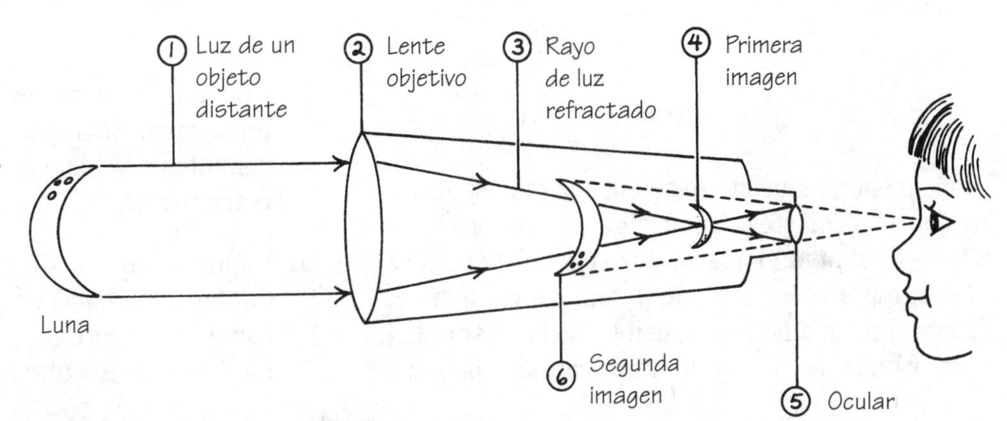

5. Repasa el diagrama con el marcador negro. Observa que las partes 4 y 6, la primera y segunda imagen, son vistas de cabeza y volteadas en comparación con la Luna real.

6. Recorta los bordes del papel de color de manera que el diagrama ocupe la mayor parte del papel.

7. Con el marcador, escribe sobre la caja el título "Telescopio de refracción".

8. Pega el diagrama del telescopio debajo del título.

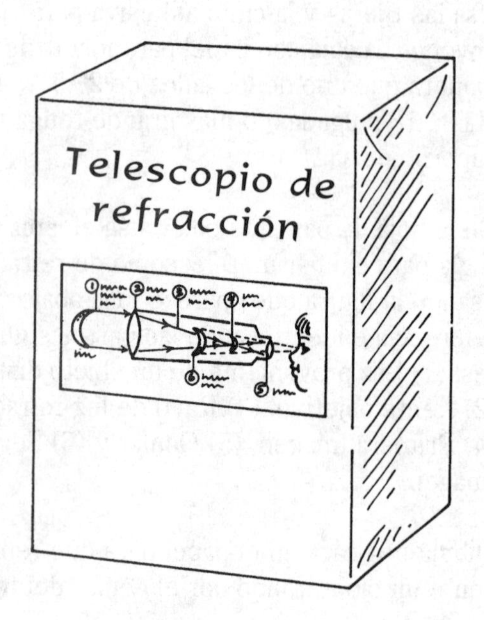

Resultados

Acabas de hacer el modelo de un telescopio de refracción.

¿Por qué?

Los astrónomos usan telescopios para observar los cuerpos celestes. Como algunos cuerpos celestes están tan lejos, su luz se ha dispersado a tal punto por el tiempo que le toma llegar a la Tierra, que es difícil o imposible verlos a simple vista. El tamaño del ojo limita la cantidad de luz que puede captar. Pero un telescopio tiene una lente mucho más grande para captar la luz, de manera que los cuerpos celestes que de otra manera no podrían verse, son visibles a través de un telescopio.

El modelo que hiciste representa un telescopio de refracción simple con dos lentes convexas. La lente del objetivo recoge la luz de objetos distantes y forma una pequeña imagen de cabeza y volteada enfrente de la lente del ocular. El ocular hace más grande la imagen, formando una segunda imagen ampliada. Mientras más grande sea la lente del objetivo, mayor será la capacidad de captar la luz y más clara y definida será la primera imagen. Mientras más grande sea la curvatura del ocular, más ampliará la segunda imagen.

¡POR TU CUENTA!

Otra manera de presentar información sobre cada parte etiquetada del telescopio es con libros con separaciones. Haz seis libros con separaciones de 7.5 × 12.5 cm (3 × 5 pulgadas) con tarjetas de archivo amarillas sin rayas. (Consulta las instrucciones para hacer libros con separaciones en el apéndice 3, parte A.) Numera la carátula de cada libro del 1 al 6. Dentro de cada libro con separaciones escribe la información sobre las partes del telescopio representadas, incluyendo lo siguiente:

1. Los rayos luminosos provenientes de un objeto distante entran en el objetivo paralelos entre sí.

2. Una lente objetivo es la lente principal de un telescopio. Esta lente recoge la luz de objetos distantes. La luz que pasa por esta lente se **refracta** (cambia de dirección).

3. La luz refractada de la lente objetivo cambia de dirección hacia un punto llamado **punto focal** de la lente (el punto donde confluyen los rayos de luz que pasan por una lente).

4. La primera imagen de un objeto distante la forma la lente objetivo. Esta imagen es pequeña y con un giro de 180° respecto de la posición real del objeto, por lo que la imagen se encuentra de cabeza.

5. La lente del ocular es una lente más pequeña que amplifica la primera imagen, formando la segunda imagen.

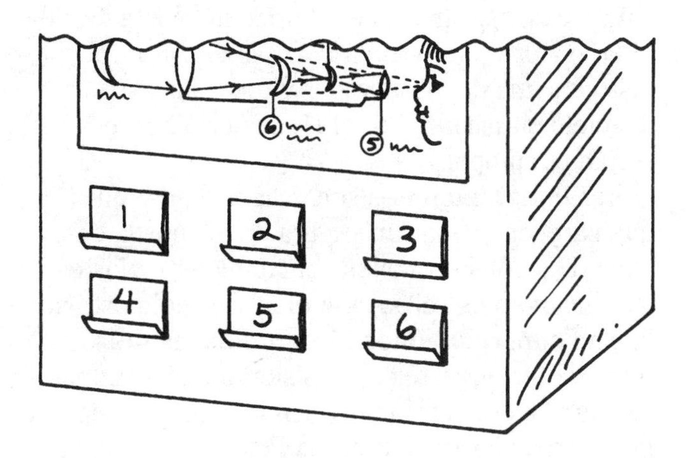

6. La segunda imagen es una versión ampliada de la primera imagen.

Cuando ya hayas preparado los libros con separaciones, pégalos en la caja debajo del modelo del telescopio.

BIBLIOGRAFÍA RECOMENDADA

Callan, Jim, *Sorpréndete con los grandes científicos*, México, Editorial Limusa.
VanCleave, Janice, *Física para niños y jóvenes*, México, Editorial Limusa.
VanCleave, Janice, *Astronomía para niños y jóvenes*, México, Editorial Limusa.

4

Vuelta y vuelta

¡Haz el modelo de una constelación!

La mayor parte de las estrellas, el Sol y la Luna dan la impresión de elevarse sobre el **horizonte** (línea donde el cielo parece encontrarse con la Tierra) en la parte oriental del cielo y de ponerse abajo del horizonte en el cielo occidental. De hecho, ningún cuerpo celeste se mueve en el cielo. En realidad, la Tierra rota, lo que significa dar un giro alrededor de su eje cada 24 horas. Este movimiento hace que las estrellas parezcan moverse en lo alto cuando un observador las mira desde la Tierra.

El extremo norte del eje terrestre se llama el **Polo Norte**, y el extremo sur se llama el **Polo Sur**. El **ecuador** es una línea imaginaria a la mitad de la distancia entre los polos Norte y Sur. Divide la Tierra en dos partes: el **Hemisferio Norte** (el área al norte del ecuador) y el **Hemisferio Sur** (el área al sur del ecuador). El extremo del eje en el Polo Norte apunta muy de cerca a una estrella, llamada la **Estrella Polar**.

Las estrellas que veas en el cielo dependen del lugar de la Tierra donde te encuentres. Cuando miras el cielo por la noche, sólo ves las estrellas que se encuentran arriba del horizonte. Son aproximadamente la mitad de las estrellas visibles a simple vista desde el lugar donde se encuentra el observador. Abajo del horizonte hay otro grupo de estrellas. Las estrellas que siempre se encuentran arriba del horizonte desde un sitio determinado del Hemisferio Norte se llaman **estrellas circumpolares del norte**. Estas estrellas nunca se ponen, sino que parecen dar vueltas y vueltas alrededor de la Estrella Polar sin desaparecer debajo del horizonte. Vista desde el Polo Norte, la Estrella Polar se encontraría justo encima del observador y todas las estrellas del cielo situadas sobre el Hemisferio Norte serían circumpolares.

Las **constelaciones** son grupos de estrellas que parecen formar una figura determinada en el cielo. Las constelaciones del Hemisferio Norte que incluyen estrellas circumpolares del norte se llaman **constelaciones circumpolares del norte**. Estas constelaciones siempre se encuentran arriba del horizonte y dan la impresión de girar alrededor de la Estrella Polar. A medida que uno se desplaza desde el Polo Norte hacia el ecuador, la Estrella Polar se observa en un ángulo sobre el horizonte igual a la **latitud** (la distancia en grados norte y sur del ecuador, cuya latitud es de 0°) del observador. Entre más cerca del ecuador se encuentre uno, menos estrellas circumpolares se pueden ver. La Estrella Polar no es visible desde el ecuador; ahí, cada día, todas las estrellas salen por el este y se ponen en el oeste. Los movimientos de la Tierra también afectan las estrellas que ves. La Tierra no sólo rota sobre su eje, sino que también cambia su posición en el cielo en relación con las estrellas conforme gira alrededor del Sol. El movimiento de la Tierra alrededor del Sol provoca ligeros cambios en la parte del cielo que se ve cada día. El resultado es que durante cada estación son visibles diferentes

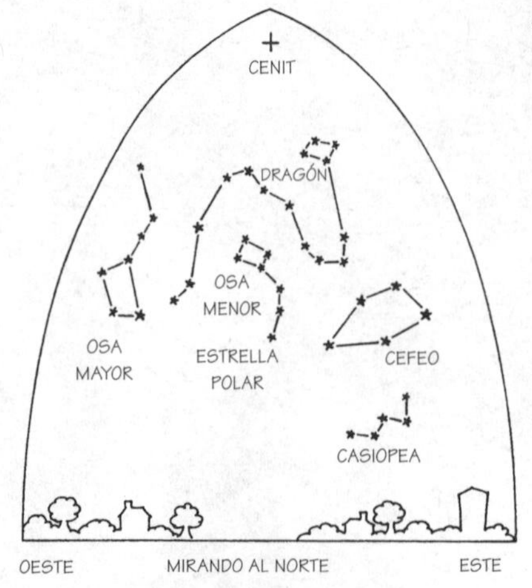

CONSTELACIONES CIRCUMPOLARES DEL NORTE
1 de julio a las 22:00
16 de julio a las 21:00
1 de agosto a las 20:00

estrellas. Pero el Polo Norte de la Tierra sigue apuntando hacia la Estrella Polar, por lo que, en un sitio determinado, las estrellas circumpolares del norte siguen siendo las mismas.

ACTIVIDAD: DISCO ESTELAR

Objetivo

Hacer un modelo del movimiento aparente diario de algunas constelaciones circumpolares del norte.

Materiales

papel carta de color, por ejemplo verde fuerte
muestra de constelaciones
lápiz adhesivo
pieza de cartón corrugado de 20 × 20 cm (8 × 8 pulgadas)
tijeras
exhibidor de caja (ver apéndice 4)
marcador negro de punta fina
marcador negro de punta gruesa
tachuela
broche de dos patas

Procedimiento

1. Saca una fotocopia de la muestra de constelaciones, con una ampliación de 140%, en el papel carta de color.

2. Recorta el círculo con la muestra de constelaciones y pégalo sobre el cartón corrugado.

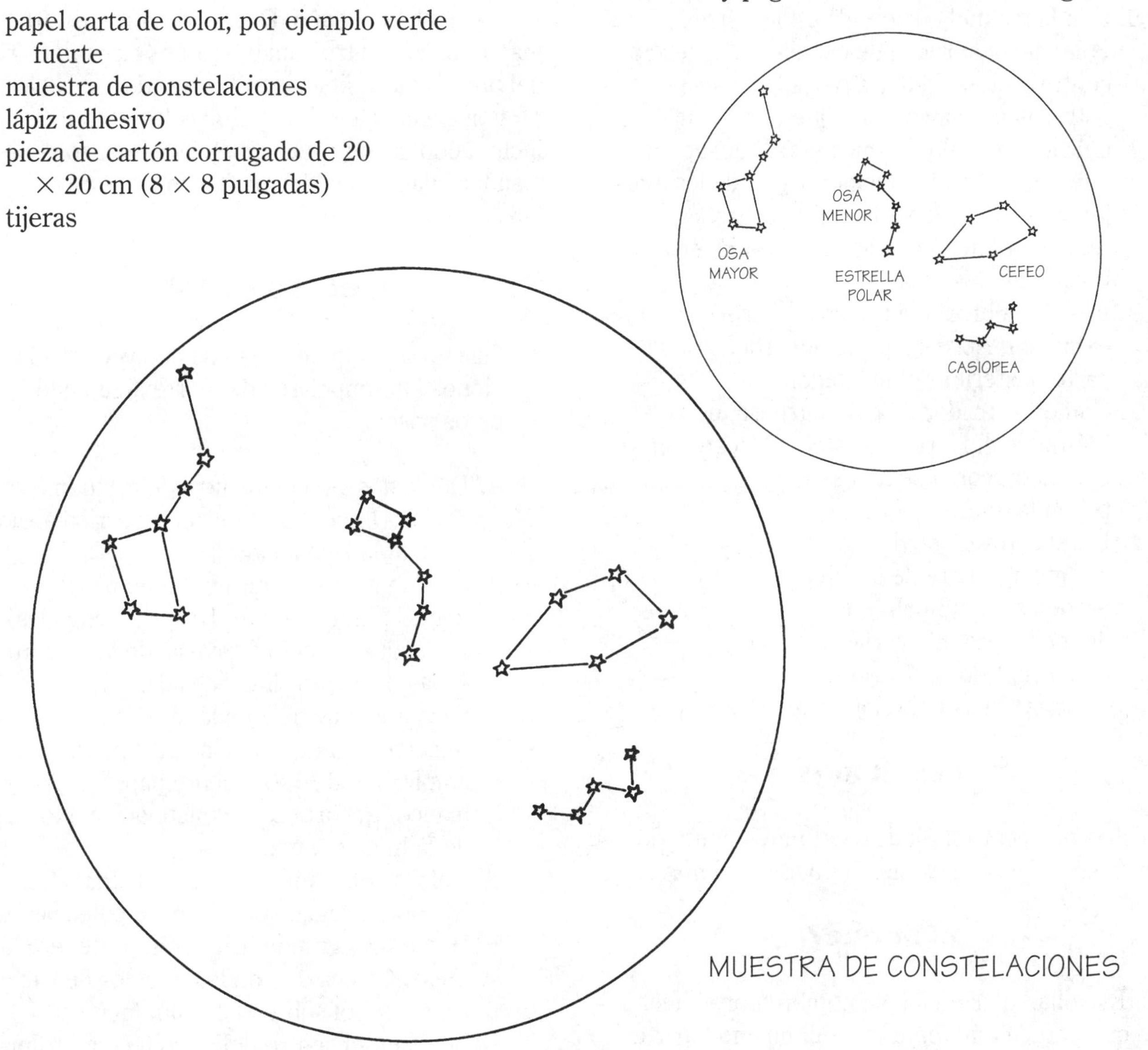

MUESTRA DE CONSTELACIONES

3. Deja secar el pegamento y después recorta el círculo. El círculo será una rueda de estrellas.
4. Con el marcador de punta fina, identifica las constelaciones y la Estrella Polar, como se muestra en el diagrama.
5. Haz un exhibidor de caja siguiendo las instrucciones del apéndice 4.
6. Con el marcador de punta gruesa, escribe el título, como por ejemplo "Estrellas circumpolares", en la parte superior de la sección central del exhibidor.
7. Con la tachuela, haz un agujero en la Estrella Polar de la rueda de estrellas.
8. Con la tachuela insertada en la Estrella Polar, lleva la rueda de estrellas a la sección central del exhibidor. Coloca la rueda de estrellas de manera que quede centrada debajo del título. Empuja la tachuela para que atraviese el exhibidor. Agranda los agujeros de la rueda y el exhibidor hasta que tengan el tamaño suficiente para insertar el broche de dos patas.
9. Inserta el broche a través de la rueda y el exhibidor. Abre las patas del broche en la parte posterior del exhibidor.
10. Con el marcador de punta gruesa, escribe "Mirando al Norte", "Este" y "Oeste" en el exhibidor, como se muestra en la figura.
11. Demuestra el movimiento aparente de las estrellas circumpolares del norte girando la rueda en sentido contrario a las manecillas del reloj.

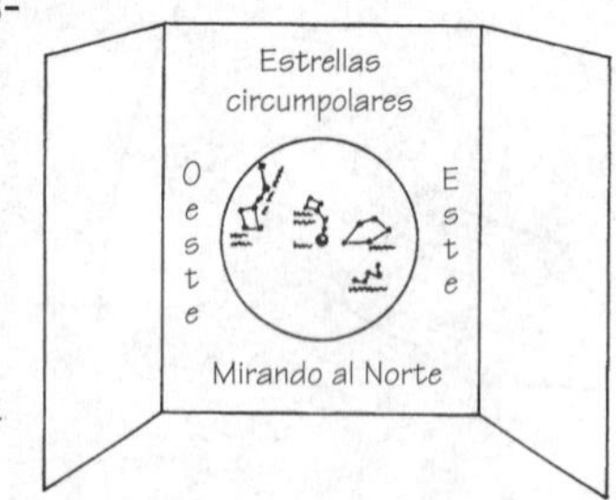

Resultados

Acabas de hacer un modelo del movimiento de cuatro constelaciones circumpolares del norte.

¿Por qué?

La Estrella Polar recibe su nombre por el hecho de que parece mantenerse en el mismo lugar en el cielo: casi exactamente encima del Polo Norte, noche tras noche. Ponte de frente a la Estrella Polar y estarás mirando al Norte. Por tanto, el Este estará a tu derecha, el Oeste a tu izquierda y detrás estará el Sur.

Observa el cielo del Norte durante algún tiempo y verás que noche tras noche algunas estrellas parecen moverse en círculo alrededor de la Estrella Polar. Como los caballitos en un carrusel, las estrellas parecen girar alrededor de un punto central, pero manteniéndose alineadas entre sí. En consecuencia, la forma de las constelaciones no cambia aunque aparezcan en sitios diferentes en el cielo durante la noche y en diferentes noches del año. Desde las latitudes 40° o mayores, las cuatro constelaciones circumpolares del norte más visibles son la Osa Mayor, la Osa Menor, Casiopea y Cefeo. Todas las estrellas, incluyendo las de estas constelaciones, son más visibles cuando se encuentran en su punto más alto en el cielo.

¡POR TU CUENTA!

1. Haz un modelo de cada una de las constelaciones circumpolares del norte siguiendo estos pasos:

   a. Dobla dos veces una hoja de cartulina negra. Un doblez debe ser de arriba abajo y el otro de lado a lado.
   b. Con un compás, traza sobre el papel doblado un círculo de 10 cm (4 pulgadas). Recorta el círculo atravesando las cuatro capas de la cartulina doblada.
   c. Saca una fotocopia de la muestra de constelaciones II de la página 29 con una ampliación de 140% sobre papel carta blanco. Recorta cada constelación a lo largo de la línea punteada.
   d. Coloca sobre una mesa un cuadrado de cartón corrugado de 15 cm (6 pulgadas) de lado o más grande. El cartón protegerá la mesa. Coloca uno de los círculos de cartulina negra sobre el cartón, luego acomoda en el centro del círculo de cartulina

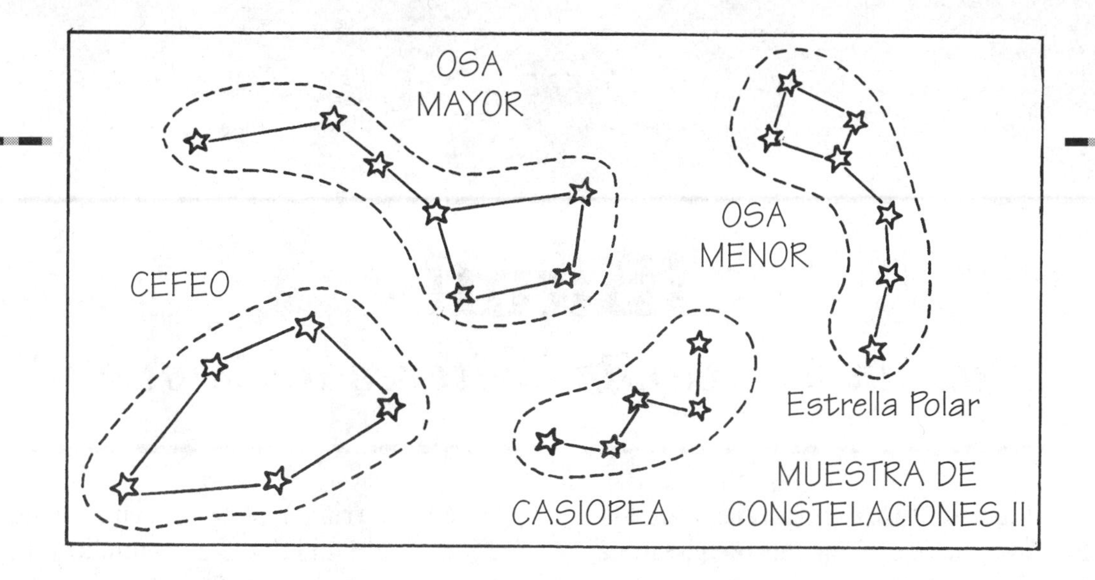

negra una de las constelaciones recortadas. Con la tachuela, haz un agujero a través de cada estrella y también a través de la cartulina negra. Quita la constelación recortada. Con una perforadora, haz pequeños círculos blancos en una hoja de papel carta blanco. Con pegamento, pega un pequeño círculo sobre cada agujero de estrella que hiciste sobre la cartulina negra.

e. Repite el paso anterior para las tres constelaciones restantes, haciendo un modelo de cada una.

2. Con pegamento, pega los modelos de constelaciones en las secciones laterales de tu exhibidor.

3. Prepara y presenta una hoja de información abajo de cada modelo de constelación. Crea la hoja de información doblando a la mitad dos veces una hoja de papel carta del mismo color que usaste en la rueda de estrellas. Dobla primero de arriba abajo y luego de lado a lado. Desdobla el papel y corta a lo largo de los dobleces para tener cuatro piezas del mismo tamaño. Escribe el nombre de una constelación diferente en cada pieza de papel. Añade información sobre cada constelación, como la siguiente:

- **Osa Mayor:** la constelación completa de la *Osa Mayor* quizá no sea siempre la más fácil de encontrar, pero el **asterismo** (un grupo de estrellas con una forma identificable dentro de una constelación) incluido en ella sí lo es. El famoso asterismo de la Osa Mayor se compone de siete estrellas brillantes que forman el contorno de un gran cucharón.
- **Osa Menor:** esta constelación también tiene forma de cucharón, pero más pequeño. La parte del mango forma la cola de la osa y el cuenco es el tórax. La estrella en el extremo del mango o cola de la osa es la Estrella Polar.
- **Casiopea:** los griegos imaginaban que las estrellas de Casiopea formaban la imagen de una reina sentada en su trono, mirándose en un espejo. Casiopea está situada enfrente de la Osa Mayor en relación con la Estrella Polar. La forma en W de esta constelación se abre hacia la Estrella Polar.
- **Cefeo:** el rey Cefeo, esposo de Casiopea, la acompaña en el cielo. Las estrellas de esta constelación son más difíciles de encontrar que la W que forman las estrellas de la reina. Las estrellas más notables de Cefeo son cinco, las que, cuando se conectan visualmente, forman lo que parece el dibujo sencillo de una casa. Como en el caso de la reina, se necesita mucha imaginación para ver la forma de un rey sentado en su trono.

BIBLIOGRAFÍA RECOMENDADA

Arranz, Pedro, *Guía de campo de las constelaciones*, Madrid, Equipo Sirius.

VanCleave, Janice, *Astronomía para niños y jóvenes*, México, Editorial Limusa.

¡Bum!

¡Haz un modelo de cráteres de impacto!

Los **meteoroides** son todos los **detritos** sólidos (fragmentos diseminados de un cuerpo que se ha desagregado) de nuestro sistema solar que orbitan el Sol. Cuando un meteoroide penetra en la atmósfera terrestre, adquiere una temperatura extrema debido a la **fricción** (fuerza que se opone al movimiento de dos superficies en contacto la una con la otra). El meteoroide se **vaporiza** (se transforma en gas), es decir, se consume por completo, debido a la fricción con el aire de la atmósfera de la Tierra. Esto produce energía luminosa. Cuando un meteoroide entra a la atmósfera de un cuerpo celeste, se le da el nombre de **meteoro.** Meteoro también es el nombre que se da a la raya de luz producida cuando un meteoroide se vaporiza al pasar por la atmósfera terrestre. Esta luz suele llamarse **estrella fugaz.** Cuando una parte del meteoroide original que entró a la atmósfera llega a la superficie de un cuerpo celeste, como la Tierra, se le llama **meteorito** (meteoroide que cae en la superficie de la Tierra o de cualquier otro cuerpo celeste).

Los meteoritos compuestos de un material similar al que se encuentra en las rocas de la superficie de la Tierra se llaman **meteoritos rocosos.** La mayoría de los meteoritos varían en tamaño desde un granito de polvo hasta un poco más grandes que un chícharo; pero algunos son mucho más grandes. Un meteorito grande que se estrella en la Tierra o en cualquier cuerpo celeste produce un **cráter de impacto** (depresión en forma de cuenco producida por el impacto de un cuerpo sólido).

El cráter de meteorito mejor conservado en la Tierra se encuentra en Estados Unidos; es el Cráter del Meteorito Barringer en Arizona. Este cráter se formó hace unos 50 mil años por la caída de un meteorito del tamaño de una casa. El Cráter Barringer tiene un diámetro de unos 1.2 km ($^3/_4$ de milla) y una profundidad de 200 m (667 pies).

ACTIVIDAD: IMPACTANTE

Objetivo

Hacer el modelo de un cráter de impacto.

Materiales

5 tazas de yeso (1250 ml)
recipiente de plástico del tamaño de una caja para zapatos
taza para medir (250 ml)
agua corriente
palito para manualidades
piedra del tamaño de un limón
vaselina
cronómetro
una etiqueta autoadherible blanca de unos 2 × 7 cm (1 × 3 pulgadas)
1 palillo para dientes redondo
bolígrafo

Procedimiento

1. Vierte el yeso en el recipiente de plástico.
2. Agrega $2^1/_2$ tazas de agua al recipiente.
3. Mezcla el yeso y el agua con el palito.
4. Agita el recipiente para emparejar la superficie del yeso.
5. Deja reposar el yeso durante unos 20 minutos.

CÓMO SE FORMA UN CRÁTER DE IMPACTO

Primero, el meteorito choca con la superficie a varios kilómetros (millas) por segundo, causando la deyección del material superficial.

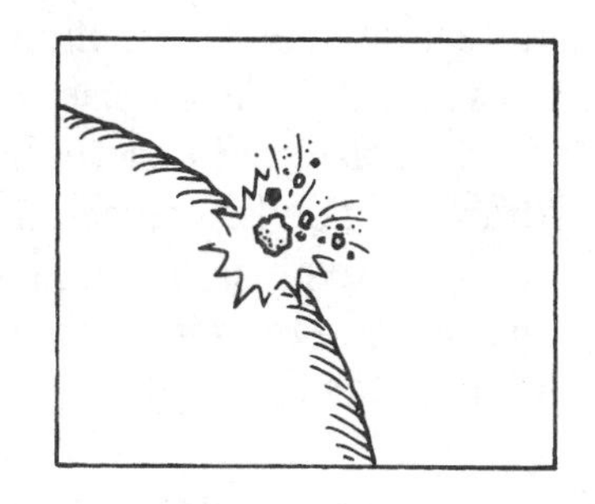

Segundo, la energía de movimiento del meteorito se convierte en ondas de choque y calor. Las ondas de choque se difunden por el terreno, produciendo su **compresión** (reducción del volumen por presión) y su **fracturación** (rotura con bordes irregulares o serrados). El calor vaporiza la mayor parte del meteorito y parte del material superficial del terreno.

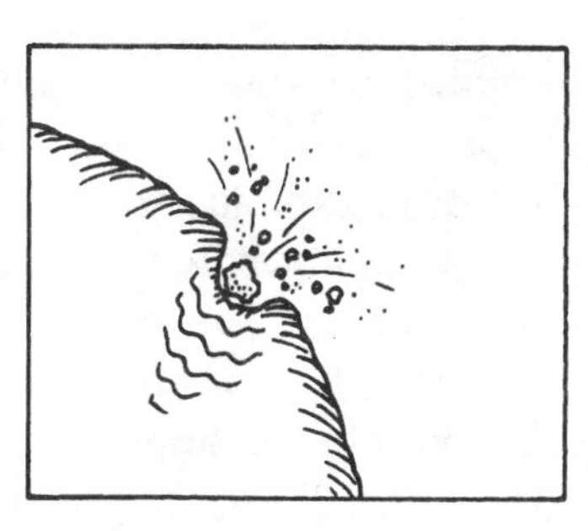

Tercero, el vapor a una temperatura extrema causa una explosión al nivel del terreno que expulsa material. El volumen del material expulsado es mucho más grande que el del meteorito, por lo que incluso objetos pequeños pueden producir agujeros grandes. Debido a que la explosión ocurre abajo del terreno, incluso los meteoritos que chocan en ángulo producen un agujero redondo.

Cuarto, el material expulsado regresa a la superficie, llenando parcialmente el agujero y formando una capa alrededor del cráter, llamada **manto de deyecciones**. El material expulsado a alta velocidad cae a distancias mayores del cráter, formando con frecuencia pequeños cráteres secundarios donde chocan con la superficie.

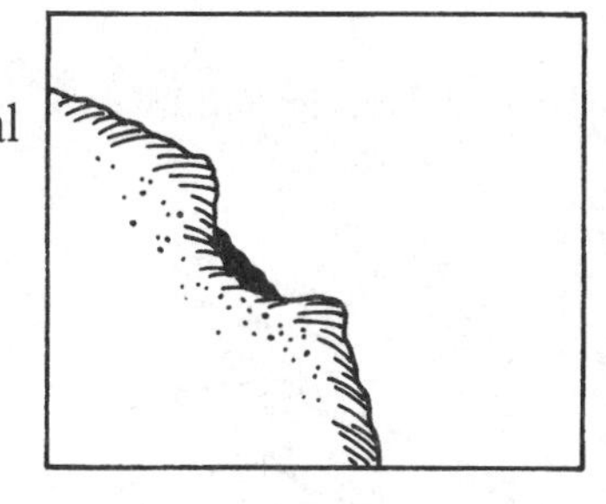

6. Cubre la piedra con una capa de vaselina.
7. Pon la caja con yeso en el piso.
8. Párate junto a la caja y sostén la piedra a la altura de la cintura encima del centro del recipiente con el yeso. Suelta la piedra.
9. Quita la piedra del yeso con cuidado para moverlo lo menos posible.

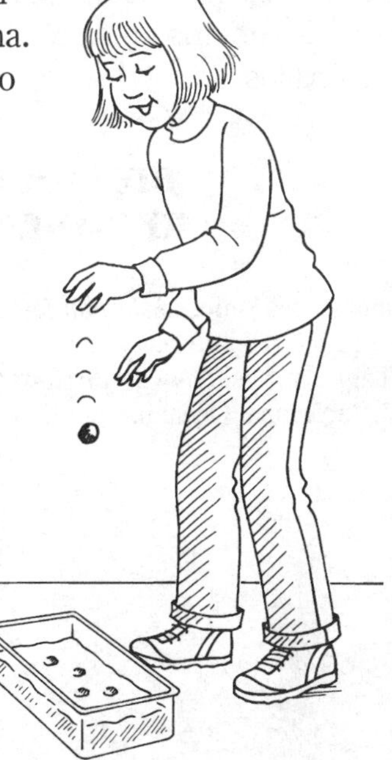

10. Repite los pasos 8 y 9 tres o cuatro veces, dejando caer la piedra en lugares diferentes del yeso.
11. Prepara una etiqueta tipo bandera como se muestra en la figura, siguiendo estos pasos:
    - **a.** Junta los extremos engomados de la etiqueta. No marques el doblez.
    - **b.** Pega con cuidado los lados engomados de la etiqueta, dejando un espacio libre cerca del extremo doblado.
    - **c.** Inserta un extremo del palillo para dientes en el espacio libre y pega el palillo en el extremo doblado de la etiqueta. Aprieta las mitades de la etiqueta alrededor del palillo.
    - **d.** Con el bolígrafo escribe “Cráteres de impacto” en la bandera.

e. Clava la bandera en el yeso.

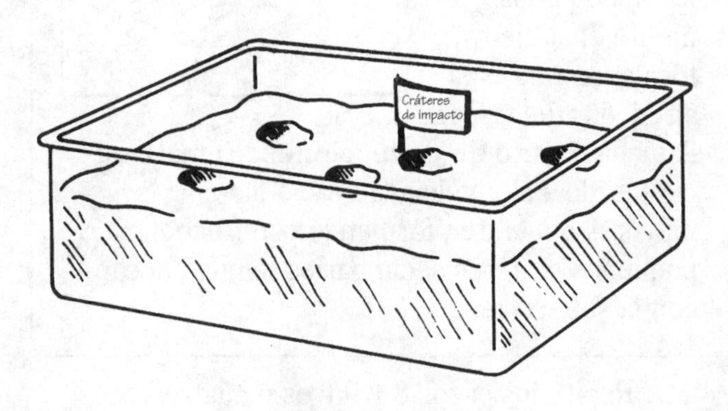

Resultados

Acabas de hacer un modelo de cráteres de impacto.

¿Por qué?

Cráter viene de la palabra griega que significa "copa" o "cuenco". La superficie de la Luna tiene muchos cráteres. Son en su mayoría cráteres de impacto provocados por meteoritos que se estrellaron en la superficie lunar. El tamaño de un cráter guarda relación con la energía del meteorito que lo formó, la cual se determina por el tamaño y la masa del objeto y su velocidad. Al hacer el modelo de cráteres, demostraste el impacto de un meteorito. Pero, a diferencia de la formación de un verdadero cráter, no hubo explosión que hiciera un hoyo más grande que el meteorito que golpea la superficie ni la expulsión de deyecciones.

¡POR TU CUENTA!

Puedes presentar tu modelo de cráteres de impacto al frente de un exhibidor de caja. Para hacer un exhibidor de caja, consulta el apéndice 4. Fija un libro de ventanas (ver el apéndice 5) en el exhibidor de caja para proporcionar información sobre los cuatro pasos de la formación de un cráter de impacto descritos en la página 31 de este libro. Para hacer el libro de ventanas, utiliza dos piezas de cartulina de diferente color. Por ejemplo, si la caja está forrada con papel blanco, el cuadrado chico de cartulina podría ser blanco y el cuadro más grande del marco podría ser rojo o de otro color fuerte. Pueden trazarse diagramas del cráter de impacto debajo de cada ventana junto con información referente a los pasos.

BIBLIOGRAFÍA RECOMENDADA

VanCleave, Janice, *Astronomía para niños y jóvenes*, México, Editorial Limusa.

Vilagrasa, Roser, *Nuevo diccionario de astronomía*, Barcelona, Océano.

II

BIOLOGÍA

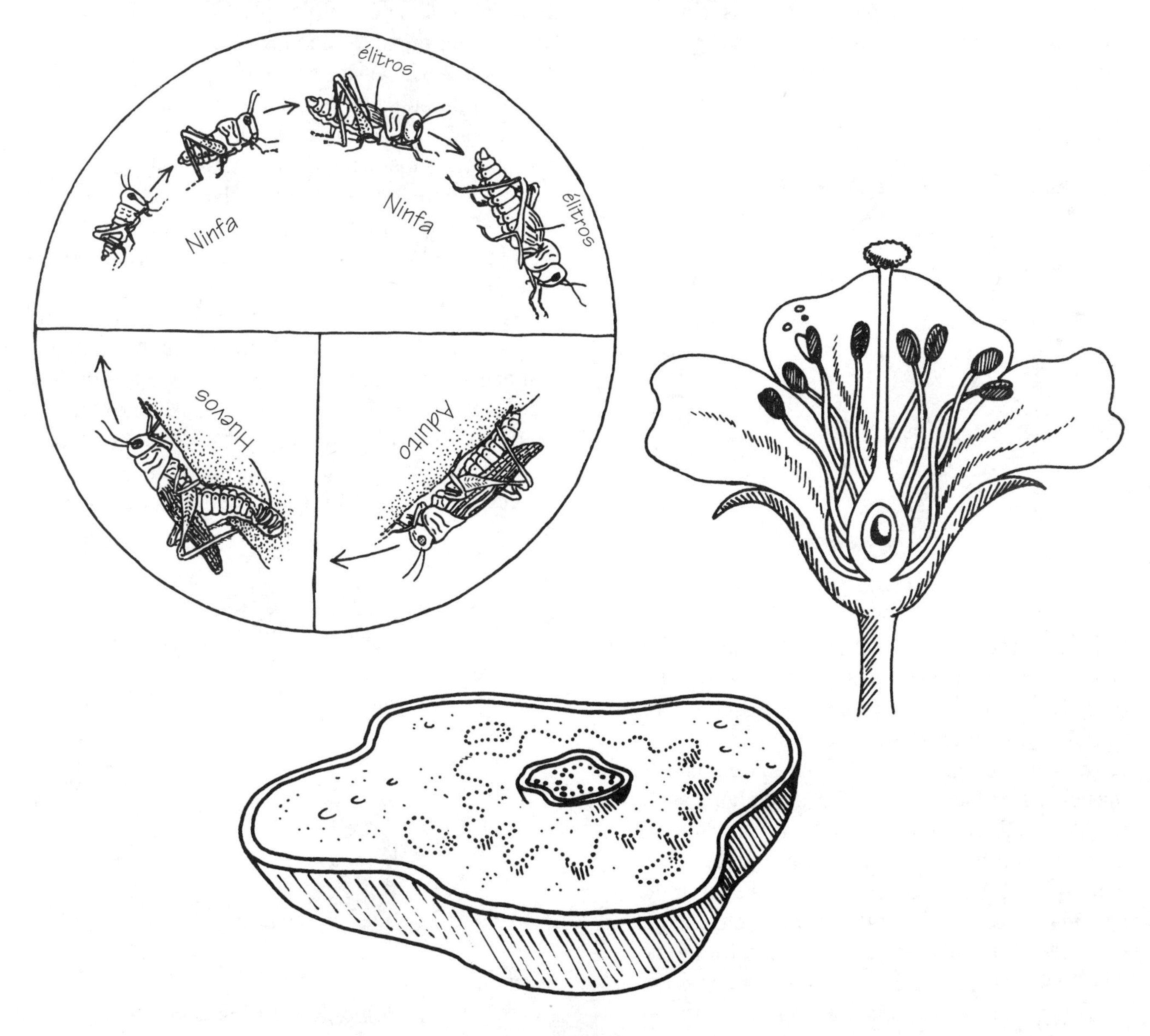

6

Etapas

¡Haz un modelo de la metamorfosis de los insectos!

Los insectos se desarrollan en varias etapas diferentes. Al ciclo de vida de un insecto que consta de cuatro etapas: de huevo a larva a pupa a adulto, se le llama **metamorfosis completa**. Hormigas, escarabajos, pulgas, moscas, catarinas y mariposas son algunos de los insectos que se desarrollan por metamorfosis completa.

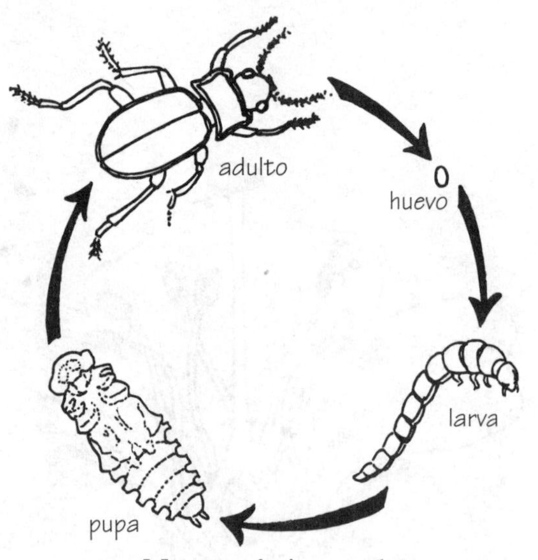

Metamorfosis completa

En la metamorfosis completa, después del apareamiento, la hembra adulta pone **huevos** (primera etapa de la metamorfosis), que se transforman en **larvas** (la segunda etapa activa en forma como de gusano). Las larvas de polillas y mariposas se llaman orugas; las de algunas moscas se llaman gusanos. Las larvas comen grandes cantidades de alimentos y suelen crecer con rapidez. A medida que crecen, sufren mudas periódicas. La **muda** es el proceso de desechar el **exoesqueleto**, que es su capa protectora exterior. Las larvas mudan muchas veces antes de alcanzar la etapa de pupa. La **pupa** es la tercera etapa de inmovilidad y de reposo en la metamorfosis completa. **Crisálida** es el nombre de la etapa de pupa con caparazón duro de algunos insectos, en particular las mariposas. **Capullo** es el nombre de la envoltura protectora de seda en la etapa de pupa de muchos insectos, en especial las polillas. La larva es la que teje el capullo. Durante la etapa de pupa, la larva con forma de gusano se transforma en adulto. Una vez terminados todos los cambios, el adulto rompe la cubierta exterior que lo envuelve y sale. El adulto busca alimento y trata de encontrar una pareja. Después de aparearse, la hembra pone huevos y el ciclo se inicia de nuevo.

Algunos insectos, como los grillos, se desarrollan en sólo tres etapas: de huevo a ninfa a adulto, sin pasar por la etapa de larva o pupa. Este tipo de desarrollo de los insectos se llama **metamorfosis incompleta**. La **ninfa** es el insecto joven, que se ve como un adulto pero es más pequeño y carece de alas. Las ninfas crecen en una serie de

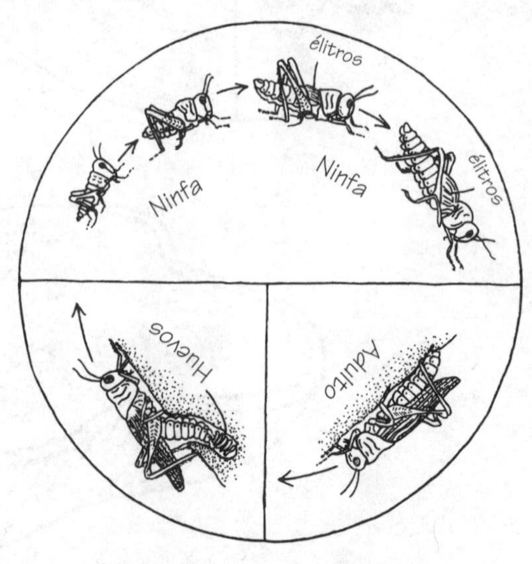

Metamorfosis incompleta

mudas. A medida que las ninfas de insectos alados crecen, se desarrollan pequeñas excrecencias en forma de alas llamadas élitros. Los **élitros** crecen sólo un poco hasta la muda final. Después de la última muda, el adulto sale con alas que han alcanzado su tamaño completo.

ACTIVIDAD: METAMORFOSIS DE UNA MARIPOSA

Objetivo

Hacer un modelo de la metamorfosis de la mariposa.

Materiales

5 tarjetas de archivo sin rayas de 15 × 22.5 cm (6 × 9 pulgadas)
lápiz
regla
tijeras
lápiz adhesivo
fotocopia de la página 36, "Etapas de la metamorfosis de la mariposa"

Procedimiento

1. Haz las páginas de un libro desplegable siguiendo estos pasos:

   a. Dobla una de las tarjetas de archivo a la mitad juntando los lados angostos.

   b. En el centro del doblez dibuja un cuadrado de 2.5 cm (1 pulgada) de lado.

   c. Corta siguiendo las líneas A y B para hacer un soporte desplegable.

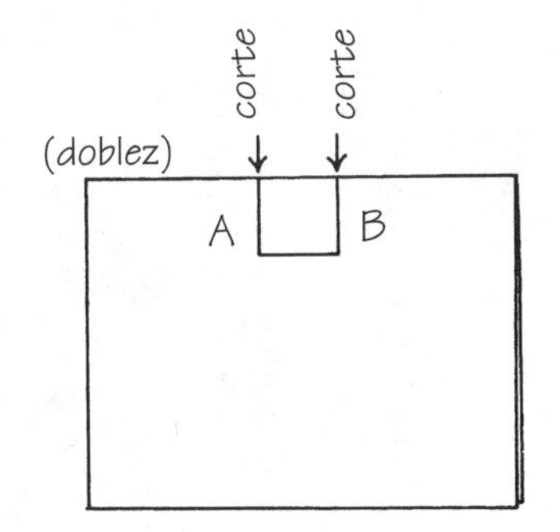

   d. Dobla el soporte hacia adelante y marca el doblez a lo largo de la línea C. Dóblalo hacia atrás y marca de nuevo el doblez a lo largo de la línea C.

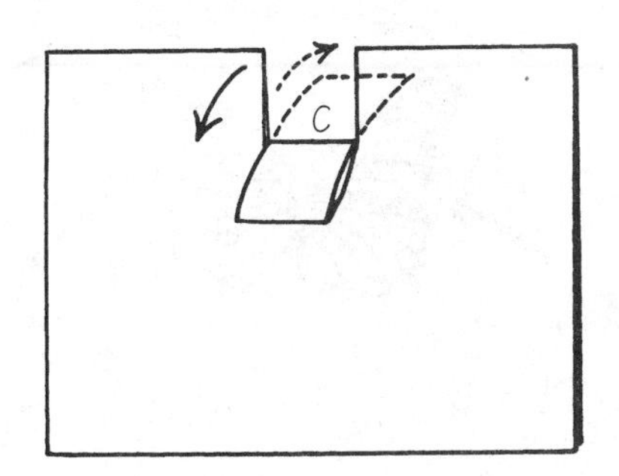

   e. Desdobla la tarjeta.

   f. Con los dedos, jala el soporte hacia el interior de la tarjeta.

   g. Cierra la tarjeta y apoya los dedos sobre la superficie de la tarjeta para marcar los dobleces de la tarjeta y el soporte desplegable dentro de la tarjeta.

   h. Repite cada uno de los pasos anteriores usando las cuatro tarjetas restantes.

2. Recorta las figuras A a F de la fotocopia de las etapas de la metamorfosis de la mariposa siguiendo el contorno de cada figura.

3. Prepara las dos primeras páginas del libro desdoblando una de las tarjetas. Numera las páginas anotando "1" en la esquina superior derecha de uno de los lados cortos de la tarjeta y "2" en la esquina inferior derecha.

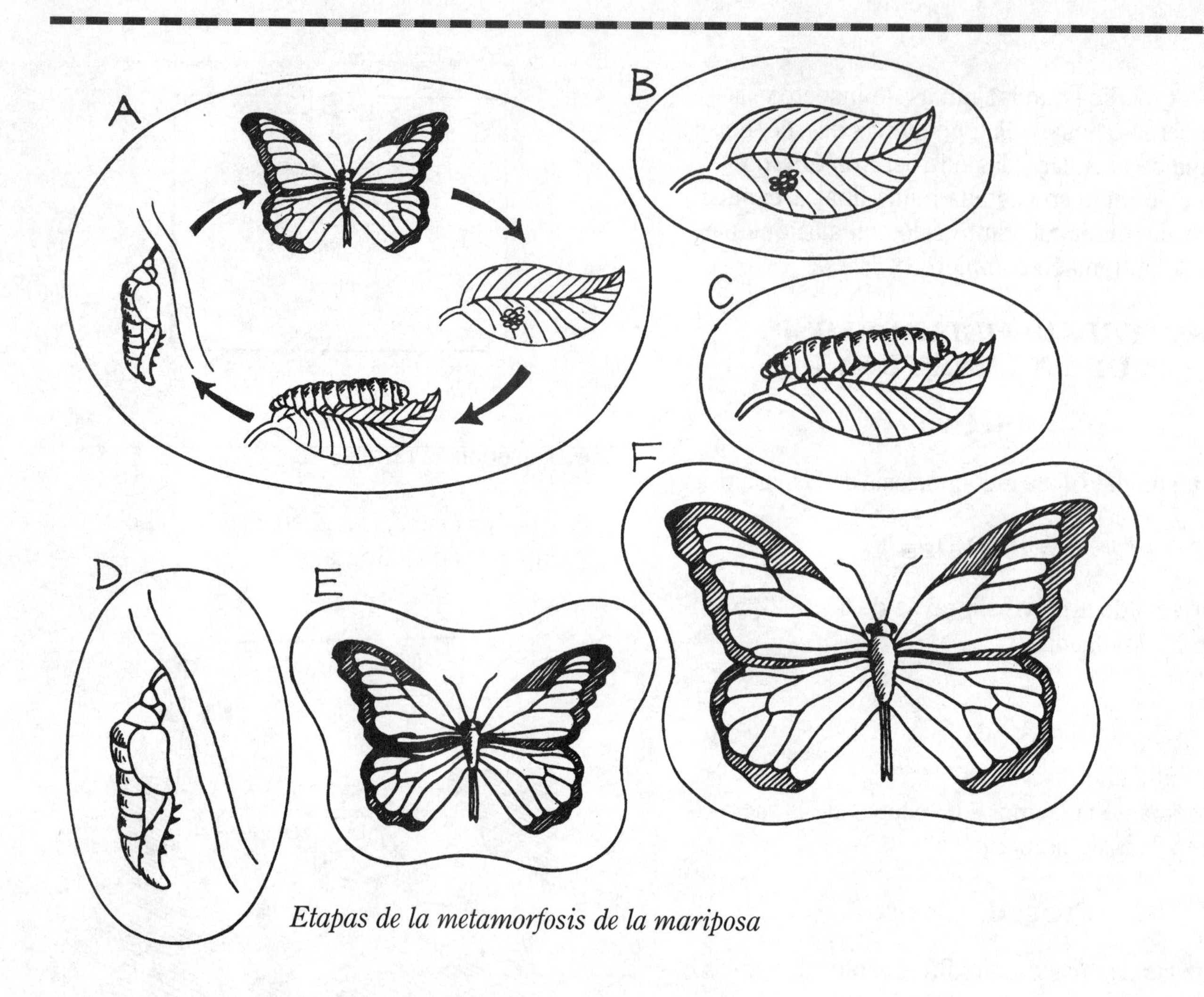

Etapas de la metamorfosis de la mariposa

Escribe "Metamorfosis de la mariposa" en la parte superior de la página 1 arriba del soporte desplegable, como se muestra en la figura. Observa que las páginas se levantarán de abajo hacia arriba en lugar de derecha a izquierda. Cuida que el borde inferior de la figura A descanse sobre la parte inferior del soporte desplegable.

4. Con la tarjeta semiabierta, usa el lápiz adhesivo para aplicar pegamento en el lado frontal del soporte desplegable. Fija la figura A sobre el pegamento.

5. Repite cuatro veces los pasos 3 y 4 con las figuras de B a E. Escribe los siguientes títulos en las tarjetas: páginas 3 y 4, "Etapa 1, Huevos" (figura B); páginas 5 y 6, "Etapa 2, Oruga" (figura C); páginas 7 y 8, "Etapa 3, Crisálida" (figura D); páginas 9 y 10, "Etapa 4, Adulto" (figura E).

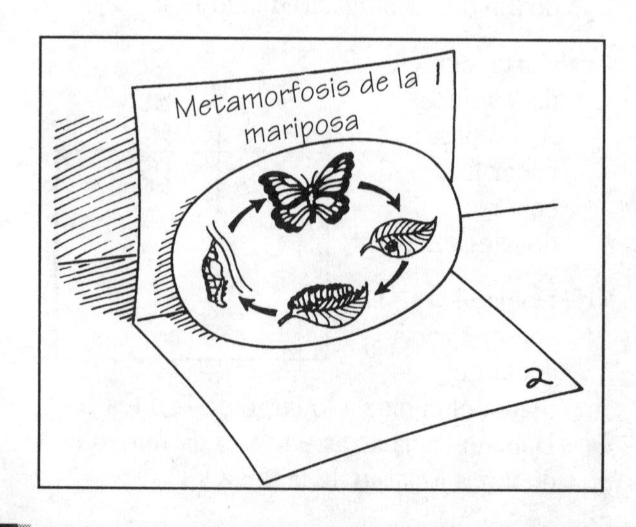

6. Pega las partes posteriores de las siguientes páginas: 2 y 3, 4 y 5, 6 y 7, 8 y 9. Deja secar el pegamento.

7. Cierra el libro y apriétalo con los dedos para hacerlo lo más plano posible.

8. Pega la figura F en la tapa delantera del libro y añade el título "Metamorfosis de la mariposa".

Resultados

Acabas de hacer un modelo de los pasos de la metamorfosis completa de una mariposa.

¿Por qué?

En la mayor parte de las especies de mariposas, la hembra adulta pone sus huevos en plantas. Los huevos se transforman en larvas llamadas comúnmente orugas. La planta donde se ponen los huevos no puede ser cualquiera, sino que debe ser una planta que la oruga pueda comer. Como todas las larvas, las orugas de las mariposas comen, crecen, mudan y comen un poco más. Cuando están listas para transformarse en pupas, casi todas dejan de comer y se mueven con mayor lentitud. Muchas cambian de color antes de transformarse en pupas. Buscan un lugar apropiado para fijarse con un hilo de seda fabricado por su propio cuerpo. La larva muda y después un líquido que cubre su cuerpo se endurece. La pupa dentro de su envoltura endurecida formada por una mariposa se llama crisálida.

Cuando la mariposa adulta sale de su crisálida, suele quedarse colgada de los restos de la misma o de una ramita cercana hasta que está lista para volar. La mariposa extiende sus alas y aletea lentamente. Esto hace que fluya sangre a sus alas, provocando su expansión. Las alas se endurecen con rapidez, conservando esta forma expandida. La mariposa está lista para volar y buscar alimento. Las mariposas se alimentan de diversos materiales, incluyendo alimentos descompuestos, pero casi todas ellas buscan flores para beber su néctar (líquido azucarado producido por muchas flores en la base de sus pétalos y que es alimento para muchos insectos).

¡POR TU CUENTA!

1. Tu libro desplegable muestra las cuatro etapas de la metamorfosis completa de una mariposa. Añade información a cada página empezando por la página 2, donde la figura representa el ciclo de una metamorfosis completa. Quizás desees explicar en esta página qué es una metamorfosis completa y proporcionar información general sobre este ciclo. Después, puedes seguir agregando información sobre la etapa representada en cada figura. Puedes colorear las figuras.

2. Haz un libro desplegable que represente la metamorfosis incompleta de un insecto, por ejemplo un grillo. Sigue las instrucciones originales para crear el libro desplegable, pero dibuja tus propias ilustraciones para mostrar las etapas de una metamorfosis incompleta. También puedes hacer una fotocopia ampliada de la figura de la metamorfosis incompleta que aparece en la introducción de este capítulo.

3. Puedes hacer un libro desplegable más grande usando hojas de cartulina de mayor tamaño para las páginas. Ambos tipos de metamorfosis, la completa y la incompleta, podrían representarse al mismo tiempo mostrando cada etapa, una junto a la otra, en las páginas. Necesitarías hacer dos soportes desplegables en cada tarjeta para presentar las formas una junto a la otra.

BIBLIOGRAFÍA RECOMENDADA

Amato, Carol A., *Bichos en el jardín/Asquerosos y fascinantes*, México, Editorial Limusa.

Maynard, Christopher, *Bichos: un acercamiento al mundo de los insectos*, México, Editorial Planeta.

Mitchel, Robert T. y Herbert S. Zim, *Mariposas y palomillas*, México, Editorial Trillas.

VanCleave, Janice, *Biología para niños y jóvenes*, México, Editorial Limusa.

7

Las piezas fundamentales

¡Haz el modelo de una célula!

La **célula** es la estructura más pequeña capaz de llevar a cabo los procesos vitales básicos, tales como incorporar nutrientes, eliminar desechos y reproducirse. Las células son los elementos estructurales de todos los **organismos** (seres vivos). Algunos organismos son **unicelulares** (formados por una sola célula), pero la mayoría son **multicelulares** (hechos de muchas células). En un organismo multicelular, cada célula tiene una función específica que beneficia a las demás. Las distintas células dependen todas unas de otras.

Existen dos tipos básicos de células: las células **procarióticas**, sin núcleo, y las células **eucarióticas**, con un núcleo. Un **núcleo** es un cuerpo esférico u ovalado dentro de una célula que controla la actividad celular. Las células procarióticas sólo se encuentran en las **bacterias** (organismos unicelulares constituidos de células procarióticas) y en las **cianobacterias** (antes llamadas algas verdiazules), que son organismos unicelulares. Todos los demás organismos, incluyendo plantas y animales, están constituidos por células eucarióticas.

Las células eucarióticas constan de tres partes básicas. Primero, la **membrana celular** es una delgada piel externa que mantiene la integridad de la célula, protege sus partes internas y permite que diversos materiales entren y salgan de la célula. En segundo lugar tenemos el **citoplasma**, una sustancia transparente y gelatinosa compuesta principalmente de agua, el cual ocupa la región entre el núcleo y la membrana celular, y contiene sustancias y partículas que trabajan en conjunto para mantener la vida de la célula. En tercer lugar se encuentra el núcleo.

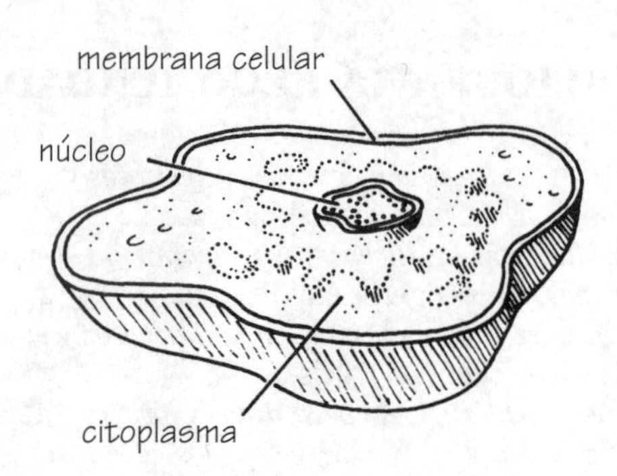

Las células especializadas de los organismos multicelulares están organizadas en cinco niveles básicos: células, tejidos, órganos, sistemas de órganos y el organismo. La célula en sí misma se encuentra en el primer nivel de organización. Por ejemplo, en los animales hay muchos tipos de células, tales como células sanguíneas y células musculares. El segundo nivel de organización, llamado **tejido**, está formado por grupos de células similares con funciones similares. Células musculares del mismo tipo forman el **tejido muscular**, que es el responsable del movimiento. En los **vertebrados** (animales con columna vertebral), la **sangre** se considera un tejido compuesto de varios tipos de células sanguíneas suspendidas en un líquido llamado **plasma**. La sangre transporta oxígeno y nutrientes a las células y a todo el cuerpo, y se lleva los desechos de las células.

Un **órgano** es un grupo de tejidos diferentes que actúan en conjunto para llevar a cabo una tarea especial, y es el tercer nivel de organización. El corazón es un órgano que consta de diferentes tipos de tejidos, incluyendo tejido sanguíneo y tejido muscular. Los **vasos sanguíneos** son órganos de forma tubular compuestos por varias capas de diferentes tejidos a través de los cuales fluye la sangre.

El cuarto nivel es un **sistema de órganos**, que es un grupo de órganos que trabajan en conjunto para realizar una tarea en especial. En los animales hay muchos sistemas de órganos diferentes. Un ejemplo, el **sistema circulatorio** (partes corporales que trabajan en conjunto para transportar sangre por todo el cuerpo) consta de órganos, incluyendo el corazón y los vasos sanguíneos. Otro ejemplo, el **sistema respiratorio** (partes del cuerpo que trabajan en conjunto para ayudarte a respirar), se compone de órganos, incluyendo la **nariz** (órgano por el cual el aire entra al cuerpo), los **bronquios** (tubos cortos que dan paso al aire hasta los pulmones) y los **pulmones** (órganos donde se intercambian gases). Cuando todos los sistemas trabajan en conjunto, forman un organismo.

Un organismo es el nivel más elevado de organización celular. Un organismo vivo es la combinación de todos sus sistemas compuestos de órganos compuestos de tejidos compuestos de células compuestas de partes celulares.

En 1665, el científico inglés Robert Hooke (1635-1703) fue uno de los primeros en observar células. Hooke observó delgadas rebanadas de corteza de árbol (corcho) con un sencillo microscopio fabricado por él mismo. Pensó que las hileras de diminutas cajas vacías parecían los cuartos de un monasterio, llamados celdas. Así que nombró a las pequeñas unidades vegetales células. Antonie van Leeuwenhoek (1632-1723), un fabricante de microscopios holandés, fue el primer hombre en observar y describir una bacteria, la más pequeña de todas las células. A medida que mejoraron los microscopios, los científicos descubrieron que todos los organismos estaban constituidos por células.

El tamaño de un organismo multicelular está determinado por el número de sus células, no por el tamaño de las mismas. El tamaño de las células es variable, y las más pequeñas son las células de bacterias. Algunas bacterias tienen un diámetro de aproximadamente 0.00001 cm (0.000004 pulgadas). Se necesitarían 10 mil de estas bacterias en fila para alcanzar el diámetro de un cabello humano. Entre las células más grandes se encuentran las células nerviosas del cuello de las jirafas. Estas células pueden tener más de 3 m (9.7 pies) de largo. Unas 10 mil células humanas de tamaño promedio pueden caber en la cabeza de un alfiler, y se calcula que el cuerpo humano contiene de 20 a 30 billones de células.

ACTIVIDAD: MODELO BÁSICO DE UNA CÉLULA

Objetivo

Hacer un modelo de la célula básica de un animal o un vegetal.

Materiales

- 4 etiquetas autoadheribles blancas de unos 2.5 × 7.5 cm (1 × 3 pulgadas)
- 2 palillos para dientes
- marcador permanente negro de punta fina
- crayola del color que prefieras
- bola de unicel de 1.25 cm (1/2 pulgada)
- botella de refresco de plástico de 2 litros vacía
- 2 tazas (500 ml) de yeso
- 1 taza para medir (250 ml)
- agua corriente
- palito para manualidades
- toallas de papel
- ayudante adulto

Procedimiento

1. Dobla una etiqueta a la mitad uniendo los lados angostos, pero dejando abierto el doblez. Coloca un palillo para dientes en el doblez. Junta y aprieta las mitades alrededor del palillo.

2. Con el marcador, escribe "Núcleo" en cada lado de la etiqueta doblada.

3. Repite los pasos 1 y 2 con la segunda etiqueta, escribiendo ahora "Citoplasma" en cada lado de la etiqueta.

4. Pídele a un adulto que corte la bola de unicel a la mitad. Con la crayola, colorea ambas mitades incluyendo la superficie del corte.

5. Ahora, pídele a tu ayudante adulto que corte la botella de refresco a 7.5 cm (3 pulgadas) del fondo y tira la parte de arriba.
6. Vierte el yeso en la parte inferior de la botella.
7. Agrega lentamente 1/2 taza (125 ml) de agua al yeso, revolviendo la mezcla con el palito mientras viertes el agua. La mezcla debe estar espesa, pero lo bastante ligera para que la superficie quede lisa al sacudir el recipiente. Si queda demasiado aguada, agrega un poco de yeso. Si es muy espesa, agrega un poco de agua.
   ATENCIÓN: tira el palito a la basura. No tires el yeso en el fregadero, porque puede tapar el desagüe.
8. Limpia con toallas de papel el exterior del recipiente, así como el interior del mismo por encima de la superficie de yeso. Tira las toallas.
9. Empuja aproximadamente la mitad de la parte redonda de una de las mitades coloreadas de la bola de unicel en el centro del yeso fresco. Guarda la otra mitad de la bola para la siguiente actividad.
10. Inserta el palillo con la etiqueta "Citoplasma" en el yeso.
11. Inserta el palillo con la etiqueta "Núcleo" en la bola de unicel.
12. Con el marcador, escribe "Membrana celular" en una de las etiquetas restantes. Pega la etiqueta en el interior del recipiente justo encima del yeso, como se muestra en la figura.

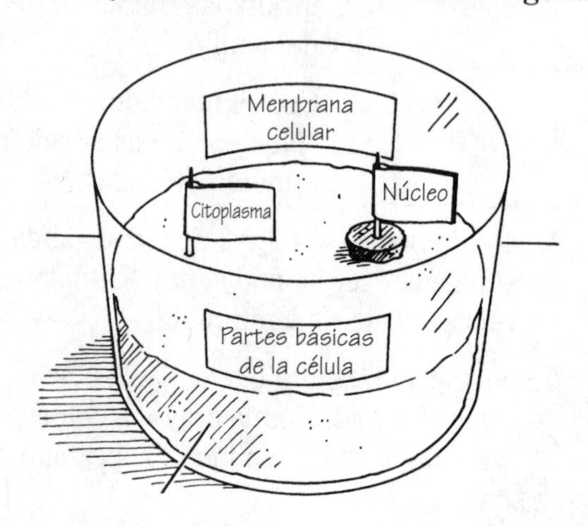

13. Escribe "Partes básicas de la célula" en la cuarta etiqueta y pégala en la parte exterior del recipiente.
14. Deja secar el yeso, lo que requiere de 20 a 30 minutos.

Resultados

Acabas de hacer un modelo que representa una célula con sus tres partes básicas.

¿Por qué?

Aunque las células son diferentes en cuanto a tamaño y forma, todas las células de vegetales y animales tienen tres partes básicas: membrana celular, citoplasma y núcleo. En tu modelo, el recipiente representa la membrana celular, el yeso representa el citoplasma y la bola de unicel representa el núcleo. Aun cuando las partes de tu modelo son rígidas, las partes de las células reales son blandas y flexibles.

¡POR TU CUENTA!

Aunque existen diferencias entre las células animales, todas ellas contienen tres partes básicas: membrana celular, citoplasma y núcleo. También pueden contener otras partes como mitocondrias y ribosomas. Diseña el modelo de una célula animal listando más partes. Una manera de hacerlo es utilizar un recipiente más grande, como una charola de plástico o una bolsa resellable grande. Puedes usar objetos tales como canicas, cáscaras de cacahuate y listón para representar diferentes partes de la célula. Puedes enumerar las partes, así como escribirlas en etiquetas y puede crearse una leyenda utilizando un libro con separaciones. (Consulta las instrucciones para hacer un libro con separaciones en el apéndice 2.) Las páginas del libro corresponderán con los números que identifican las partes del modelo de la célula, y en este libro se puede incluir información sobre cada parte de la célula. En el ejemplo que se presenta en la página 41, hay ocho partes de la célula. Podrían darse las siguientes descripciones en el libro con separaciones.

1. **Membrana celular:** límite externo de la célula que mantiene unidas sus partes internas y las protege.
2. **Citoplasma:** material transparente y gelatinoso formado principalmente de agua, que ocupa la región entre el núcleo y la membrana celular y contiene organelos, pequeños órganos que operan en conjunto para mantener la vida.
3. **Núcleo:** cuerpo esférico u ovalado de una célula que contiene los elementos que controlan la actividad celular.
4. **Mitocondria:** la central de energía de las células, donde se produce una reacción entre alimento y oxígeno a fin de producir la energía necesaria para la actividad y la vida de las células.
5. **Lisosomas:** sacos situados dentro de las células que contienen sustancias químicas utilizadas para destruir sustancias dañinas o partes desgastadas de las células. Son numerosos en células que combaten enfermedades, como los leucocitos, que destruyen invasores peligrosos y desechos de células.
6. **Retículo endoplásmico (RE):** red de tubos que fabrican, procesan y transportan materiales dentro de las células que contienen un núcleo. El RE está conectado con la membrana del núcleo y se extiende dentro del citoplasma. Hay dos tipos de RE: rugoso y liso. El RE rugoso está cubierto de ribosomas.
7. **Ribosomas:** estructuras diminutas que se encuentran libres en el citoplasma o en la superficie del retículo endoplásmico. Estructuras donde se elabora **proteína** (nutriente usado para el crecimiento y la regeneración).
8. **Cuerpos de Golgi:** son las estructuras donde se almacenan las proteínas hasta que la célula las necesita. Tienen la apariencia de un conjunto de bolsas aplanadas como pilas de tortillas.

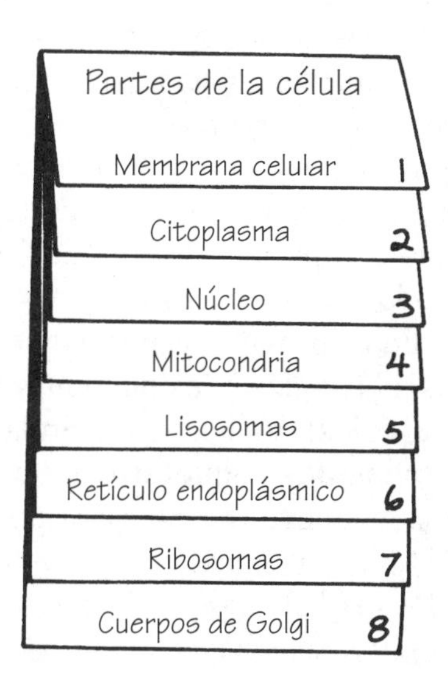

BIBLIOGRAFÍA RECOMENDADA

Callan, Jim, *Sorpréndete con los grandes científicos*, México, Editorial Limusa.

VanCleave, Janice, *Biología para niños y jóvenes*, México, Editorial Limusa.

VanCleave, Janice, *Enseña la ciencia de forma divertida*, México, Editorial Limusa.

VanCleave, Janice, *Anatomía para niños y jóvenes*, México, Editorial Limusa.

8

Fibra

¡Haz un modelo de los músculos!

Tu cuerpo es como una marioneta, un títere con cordeles fijos a diversas partes. Cuando los cordeles se jalan, las partes del títere se mueven. En lugar de tener cordeles sujetos al cuerpo, tú tienes tejido muscular, un tejido que se encuentra en los animales y permite que éstos se muevan. Cuando los músculos se **contraen** (se encogen) y se **relajan** (se estiran), se produce movimiento. Los músculos unidos a los huesos los jalan y hacen que se muevan, de la misma manera que los cordeles mueven las manos o los pies de un títere. Sin músculos, no podrías moverte.

Los músculos son el único tipo de tejido corporal que tiene la capacidad de contraerse y relajarse. No todos los músculos están unidos a los huesos; algunos forman órganos, como los vasos sanguíneos, el corazón y los pulmones. Hay tres tipos de músculos: esqueléticos, cardíacos y lisos. Los **músculos esqueléticos** están unidos a tus huesos y mueven tu cuerpo. Como tú puedes controlar los movimientos de tu cuerpo, los músculos esqueléticos se llaman **músculos voluntarios** (músculos que se pueden controlar a voluntad). Los otros dos tipos de músculos, los cardíacos y los lisos, son **músculos involuntarios** (músculos que no pueden controlarse a voluntad). Los **músculos cardíacos** sólo se encuentran en el corazón y constan de células estrechamente entretejidas. Los **músculos lisos** se componen de células largas, delgadas y puntiagudas en sus extremos, y tienen un núcleo. Estos músculos se unen para formar capas de tejido muscular que se encuentran en órganos internos, como los pulmones y el estómago. También están unidos a los vellos. Cuando tienes frío, los músculos lisos unidos a los vellos del cuerpo se contraen y los jalan hacia arriba. El músculo contraído crea un pequeño abultamiento en la piel que rodea a cada vello, lo que suele llamarse **piel de gallina**. El frío también puede hacer que tus músculos tiriten o tiemblen. Los movimientos musculares que te hacen tiritar, te ponen la piel de gallina y hacen latir tu corazón ocurren sin que pienses en ellos, y por eso se llaman involuntarios.

TEJIDO MUSCULAR

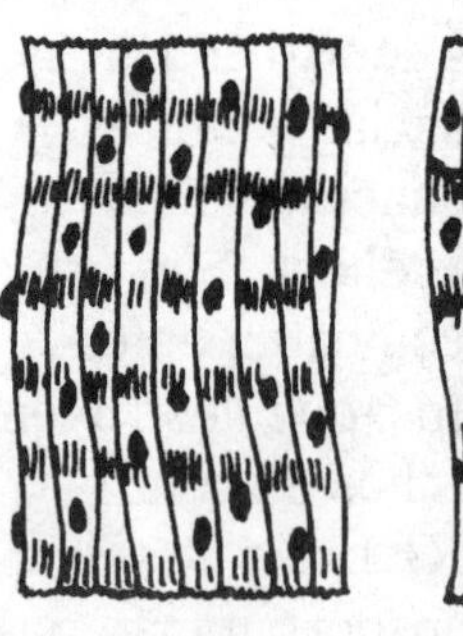
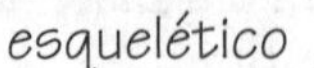

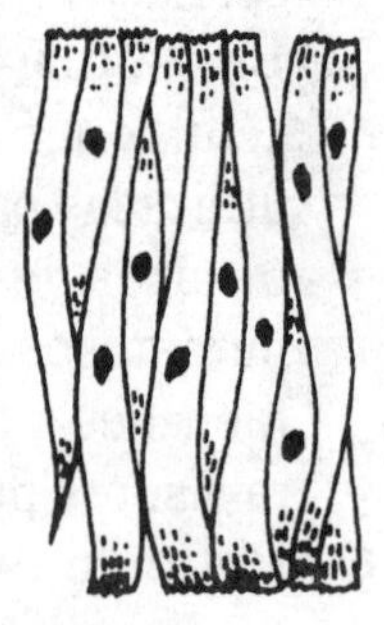

El trabajo realizado por los músculos durante la contracción y la relajación también produce gran parte del calor que mantiene tu cuerpo caliente.

ACTIVIDAD: ELEVADOR

Objetivo

Hacer un modelo de la forma en que los músculos esqueléticos mueven tu extremidad superior.

Materiales

2 tiras de cartulina de 7.5 × 20 cm (3 × 8 pulgadas)
perforadora
1 broche de dos patas
lápiz
2 trozos de cordel grueso, uno de 35 cm (14 pulgadas) y otro de 45 cm (18 pulgadas)

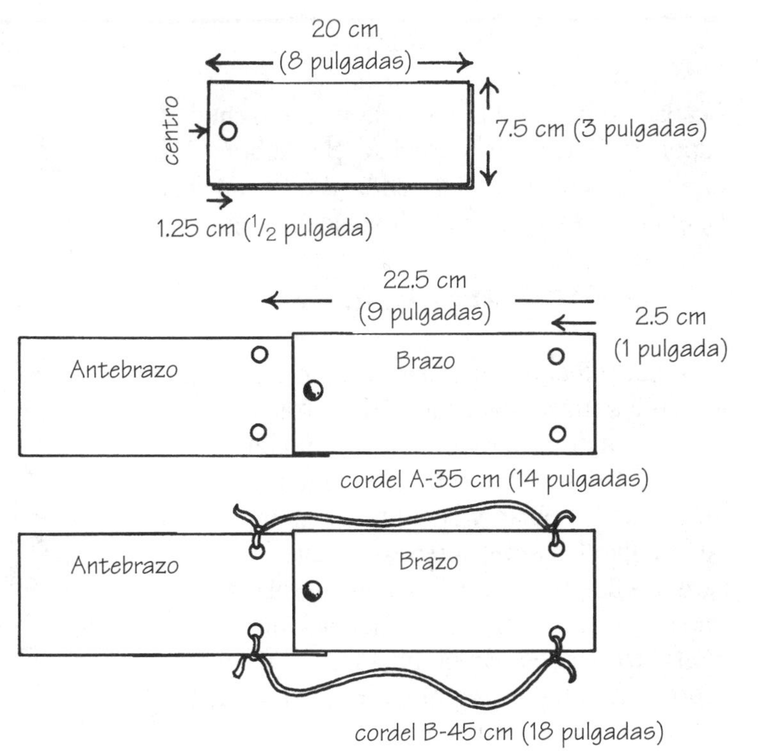

Procedimiento

1. Coloca las tiras de cartulina una encima de la otra. Con la perforadora, haz un agujero a través de ambas tiras a 1.25 cm (1/2 pulgada) del punto central de un extremo.

2. Une las tiras insertando el broche a través de los agujeros de ambas tiras y abriendo las patas del broche para sujetarlas.

3. Gira una tira alrededor del broche de manera que las tiras queden en línea recta. Identifica el brazo superior y el antebrazo, como se muestra en el dibujo. Éste es tu modelo de una extremidad superior.

4. Con la perforadora, haz dos agujeros cerca del extremo superior del modelo, uno a 2.5 cm (1 pulgada) y el otro a 22.5 cm (9 pulgadas) del extremo derecho del modelo.

5. Repite el paso 4, haciendo dos agujeros cerca del extremo inferior del modelo.

6. Ata los extremos del cordel más corto, llamado el cordel A, en los agujeros del extremo superior del modelo.

7. Ata los extremos del cordel más largo, llamado el cordel B, en los agujeros del extremo inferior del modelo.

8. Coloca el modelo sobre la mesa. Mientras sostienes el brazo superior contra la mesa, tira del cordel A en dirección contraria al modelo. Observa el movimiento del antebrazo.

9. Suelta el cordel A y tira del cordel B en dirección contraria al modelo. Observa el movimiento del antebrazo.

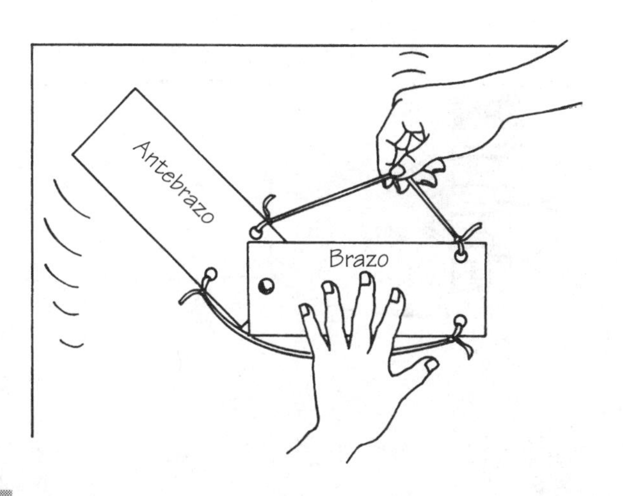

Resultados

Acabas de hacer el modelo de una extremidad superior. Al tirar del cordel A, el antebrazo del modelo se dobla en el broche. Al tirar del cordel B, el antebrazo vuelve a su posición original.

¿Por qué?

Los músculos pueden jalar pero no empujar, por lo que los músculos esqueléticos trabajan en pares para crear movimiento. El modelo de la extremidad superior muestra cómo un par de músculos la doblan y la estiran. Los músculos que doblan las **articulaciones** (lugares donde se unen dos huesos) se llaman **flexores**, y los músculos que estiran las articulaciones se llaman **extensores**. En el modelo, el cordel A representa el músculo **bíceps**, un gran músculo flexor situado en la parte anterior del brazo. El músculo bíceps mueve el **antebrazo** (parte de la extremidad superior entre el codo y la muñeca) de manera que la extremidad superior se dobla en el **codo**. El codo es la articulación que une los huesos del brazo y el antebrazo, y la **muñeca** es la articulación entre el antebrazo y la mano. (Busca más datos sobre las articulaciones en el capítulo 9 de este libro.) El cordel B representa el músculo extensor situado en la parte posterior del brazo, llamada **músculo tríceps**. Estos dos músculos controlan la flexión de la extremidad superior en el codo.

¡POR TU CUENTA!

Algunos músculos esqueléticos están unidos directamente a los huesos, mientras que otros están unidos a los huesos por **tendones** (tejidos resistentes no elásticos que unen algunos músculos esqueléticos a los huesos). Diseña una manera de identificar los músculos y tendones en el modelo de la extremidad superior. Una manera de hacerlo es asignar códigos de color a los cordeles. Con un marcador rojo, pinta de rojo los cordeles, excepto unos 2.5 cm (1 pulgada) en cada extremo. La sección roja representa el músculo y los extremos blancos representan los tendones. Puedes usar etiquetas para marcar con una "A" el músculo bíceps y el músculo tríceps con una "B", como se muestra en la figura. También puedes recortar una mano de cartulina y pegarla en el extremo del antebrazo. En la mano podría ir una leyenda que identifique las partes de tu modelo: músculo, tendón, bíceps y tríceps.

BIBLIOGRAFÍA RECOMENDADA

VanCleave, Janice, *Anatomía para niños y jóvenes*, México, Editorial Limusa.

VanCleave, Janice, *Guía de los mejores proyectos para la feria de ciencias*, México, Editorial Limusa.

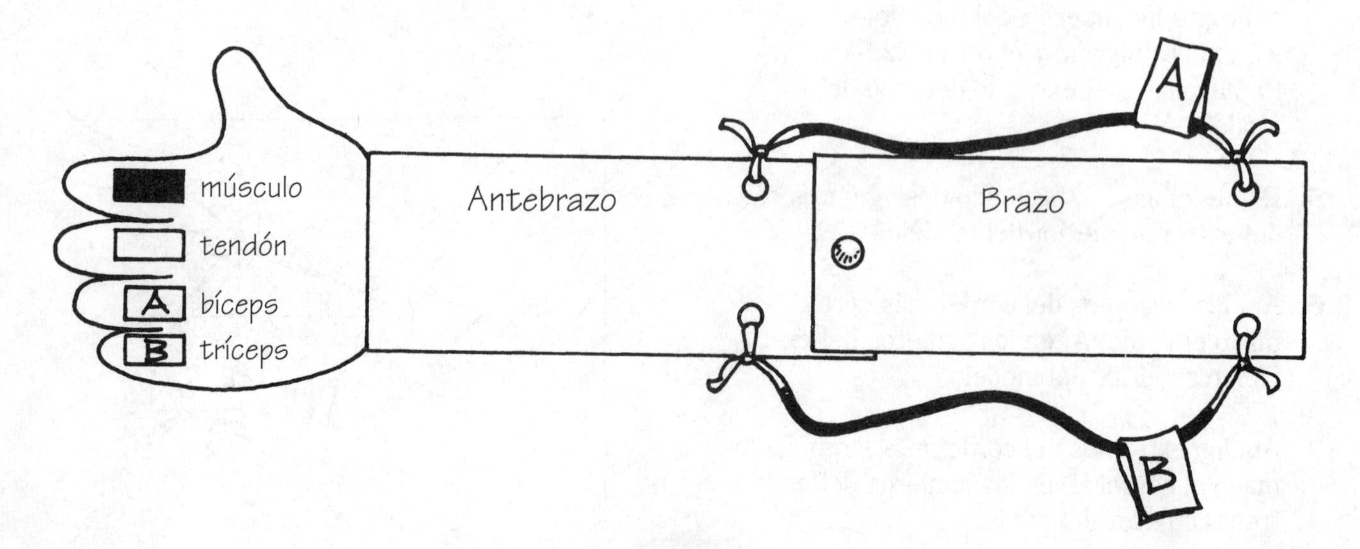

9

Coyunturas

¡Haz un modelo de articulaciones!

Antes del nacimiento, el esqueleto de un bebé está hecho de **cartílago** (tejido firme pero flexible que da forma y sostén al cuerpo de algunos animales). Pero en el momento de nacer, la mayor parte de este cartílago se ha transformado en unos 350 huesos. Al crecer el niño, muchos de esos huesos se desarrollan en conjunto. El esqueleto de un adulto tiene unos 206 huesos. El esqueleto de un adulto todavía tiene algunas partes de cartílago.

El sitio donde se juntan los huesos se llama articulación. Algunas son **articulaciones fijas** (articulaciones que no permiten movimiento alguno), como los huesos del cráneo y los dientes en sus alvéolos. Otras articulaciones son **articulaciones ligeramente movibles** (articulaciones con movimientos limitados). Tus costillas están unidas a la **columna vertebral** por medio de articulaciones ligeramente movibles. Las articulaciones en la parte media de tus pies y la palma de tus manos también son articulaciones ligeramente movibles. Sin embargo, la mayoría de las articulaciones son **articulaciones movibles** (articulaciones que se pueden mover libremente). Estas articulaciones se mantienen unidas por medio de un **tejido conectivo** (tejido que mantiene juntas partes corporales internas, incluyendo huesos) llamado ligamento. Un **ligamento** es una banda resistente de tejido conectivo ligeramente elástico.

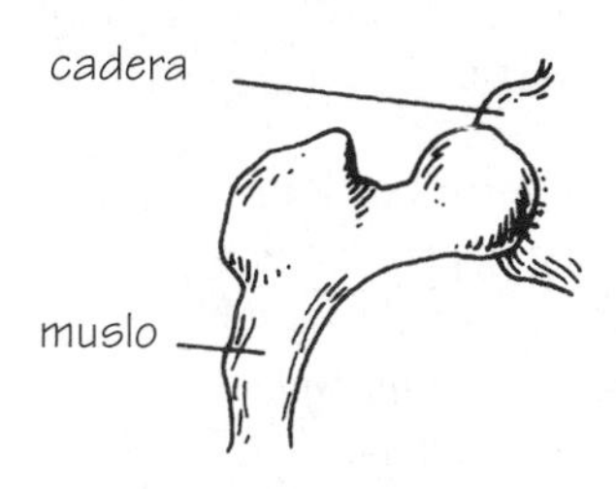

Articulación esferoidea

Hay diversos tipos de articulaciones móviles que permiten diferentes tipos de movimiento. La que permite mayor movimiento es la **articulación esferoidea,** como la articulación entre el muslo y la cadera. El extremo del hueso del muslo es redondo como una pelota y se ajusta en una cavidad en forma de copa en la cadera. Este tipo de articulación te permite levantar y bajar la pierna y también girarla. El lugar donde el brazo se une al hombro es otro ejemplo de articulación esferoidea.

Una **articulación de bisagra**, como las de las rodillas, codos y dedos, no gira, sino que los huesos de estas articulaciones sólo pueden moverse en una dirección, como la bisagra de una puerta. En el codo, el extremo redondeado del hueso húmero del brazo se ajusta en un hueco formado por los huesos radio y cúbito del antebrazo. El codo permite levantar y bajar los huesos del antebrazo.

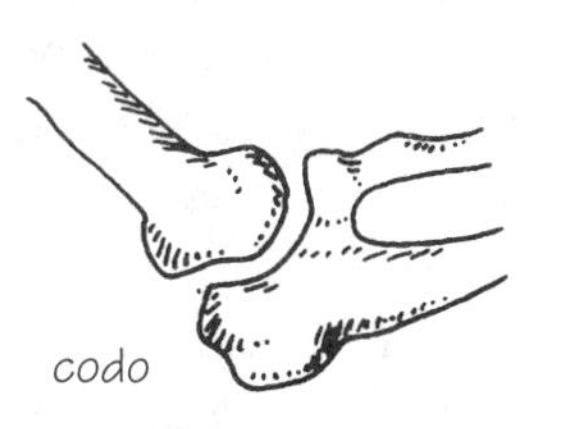

Articulación de bisagra

La cabeza puede **girar** gracias a una **articulación de pivote** (articulación que permite la rotación). En esta articulación, la **vértebra** (una de las estructuras óseas que forman la columna vertebral) superior de la columna vertebral se ajusta sobre una espiga que se encuentra en la vértebra de abajo, lo que permite que la cabeza se mueva de lado a lado.

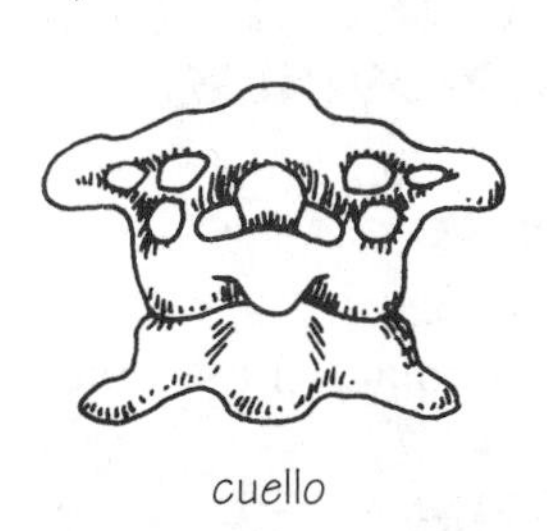

Articulación de pivote

Las vértebras de tu columna vertebral y los huesos de tu muñeca están unidos por **articulaciones de deslizamiento** (articulaciones en las cuales los huesos se mueven con facilidad uno

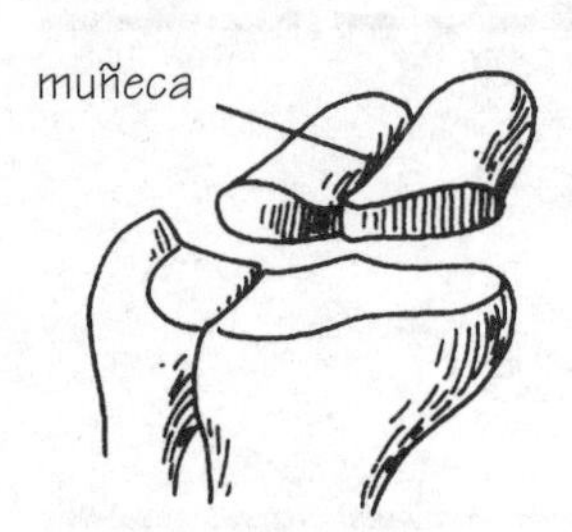

Articulación de deslizamiento

sobre otro). En esas articulaciones, los huesos encajan entre sí como piezas de un rompecabezas.

Algunos huesos están unidos mediante varias articulaciones. A este conjunto de articulaciones se le llama **articulaciones compuestas** (varias articulaciones entre huesos que funcionan en conjunto para permitir que los huesos se muevan en diferentes direcciones). Por ejemplo, tu antebrazo puede girar porque sus dos huesos (el cúbito y el radio) están unidos por una articulación de pivote. Esos huesos también se unen al húmero del brazo mediante una articulación de bisagra que permite levantar el antebrazo. Las articulaciones compuestas de tu cuello te permiten mover la cabeza en diferentes direcciones, incluyendo de lado a lado y de arriba abajo, así como en movimiento circular.

Las articulaciones movibles necesitan un **lubricante** (sustancia que reduce la fricción entre materiales en contacto uno con otro) y **cojinete** (material de relleno suave), que evita que los huesos se rocen uno contra otro y se desgasten. En estas articulaciones, los extremos de los huesos están cubiertos con cartílago, el cual actúa como cojinete entre los huesos. Estas articulaciones también contienen un líquido especial, llamado **líquido sinovial**, que actúa como lubricante.

ACTIVIDAD: MOVIBLE

Objetivo

Hacer el modelo de una articulación esferoidea.

Material

tazón de 2 litros (2 cuartos)
500 mg (1 libra) de papel maché instantáneo (también sirve la arcilla que seca con el aire)
2 tazas para medir (500 ml)
agua corriente
bolsa de plástico resellable de 4 litros (1 galón)
palito para manualidades
papel encerado

Procedimiento

1. En el tazón, mezcla el papel maché con el agua siguiendo las instrucciones del paquete.
2. Toma una porción de papel maché del tamaño de una manzana y guarda el resto en la bolsa resellable. Guarda la bolsa en el refrigerador hasta que la necesites.
3. Parte a la mitad la porción de papel maché del tamaño de una manzana. Moldea una mitad en forma de cuenco. Coloca este cuenco sobre un pedazo de papel encerado.
4. Haz una bola con la otra mitad del papel maché.
5. Mete el palito en la bola a unos 2.5 cm (1 pulgada) de profundidad. Aprieta el papel maché alrededor del palito para que quede firme.
6. Cubre el extremo de la bola con papel encerado. Después, mete la bola cubierta de papel encerado dentro del cuenco de papel maché. Moldea los lados del cuenco de manera que sus bordes cubran la mayor parte de la bola.
7. Con la bola dentro del cuenco, déjalos reposar durante la noche. Por la mañana estarán parcialmente secos.

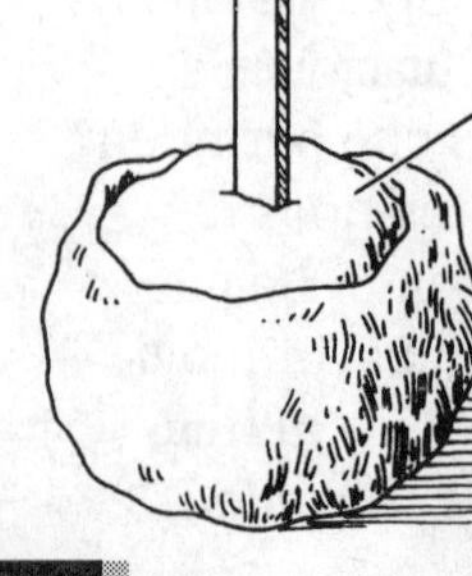

8. Tocando la bola, no el palito, hazla girar con cuidado para agrandar un poco el cuenco a fin de que la bola tenga espacio para moverse y pueda sacarse del cuenco.

9. Deja que el cuenco y la bola se sequen por completo. Esto requiere de dos días o más.

10. Cuando las piezas de papel maché estén secas, quita el papel encerado, después toma el palito y haz girar la bola dentro del cuenco.

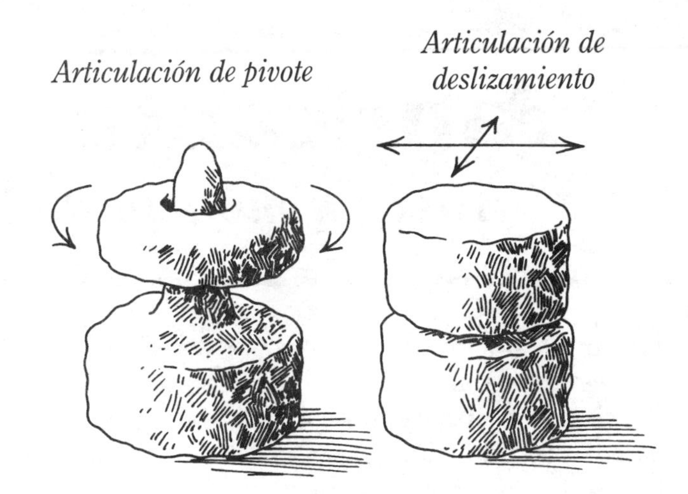

Resultados

Acabas de hacer el modelo de una articulación esferoidea.

¿Por qué?

En una articulación esferoidea, un hueso es movible y el otro es fijo. El extremo del hueso movible es redondeado, representado por el modelo de papel maché en forma de bola. Este extremo redondeado se ajusta en la cavidad de un hueso fijo, representado por el modelo de papel maché en forma de cuenco. El hueso con el extremo redondeado puede moverse en todas direcciones, incluyendo la de rotación. En la articulación del hombro, el extremo redondeado del húmero del brazo se ajusta en la cavidad del omóplato (hueso del hombro). Puedes girar tu brazo en un círculo vertical de 360°.

¡POR TU CUENTA!

1. Con papel maché, haz modelos de una articulación de bisagra, una articulación de pivote y una articulación de deslizamiento como las que aquí se muestran.

Articulación de bisagra

2. Diseña una manera de presentar tus modelos. Una de ellas es colocar tus modelos frente a un exhibidor de tres secciones. (Consulta las instrucciones para hacer el exhibidor de tres secciones en el apéndice 1.) Pueden pegarse hojas de información de cada modelo en el exhibidor detrás de cada modelo. Aquí tienes algunas ideas para hacer más visibles los papeles:

   - Usa colores contrastantes, como papel blanco sobre un exhibidor de color.
   - Enmarca los papeles con material de color. Consulta en el apéndice 6 las instrucciones para el enmarcado.

BIBLIOGRAFÍA RECOMENDADA

Kapit, Wynn, *Anatomía cromodinámica: Atlas anatómico para colorear*, México, Fernández Editores.
VanCleave, Janice, *Anatomía para niños y jóvenes*, México, Editorial Limusa.

10

Fabricantes de semillas

¡Haz un modelo de las partes de la flor!

Las **angiospermas** son plantas que florean. La **flor** es el sistema reproductor de estas plantas. Un **sistema reproductor** contiene los órganos para la **reproducción** (el proceso mediante el cual se producen nuevos organismos). La principal tarea de una flor es hacer **semillas** (la parte de una planta con flores a partir de la cual se desarrolla una nueva planta). Las angiospermas se reproducen por **reproducción sexual** (la formación de un nuevo organismo por fecundación). La **fecundación** es la unión del **espermatozoide** (célula reproductiva masculina) y un **huevo** (célula reproductiva femenina). En las plantas, el resultado de la fecundación es la formación de una semilla.

El órgano reproductor masculino de la flor se llama **estambre**, y el órgano reproductor femenino se llama **carpelo** o **pistilo**. La parte similar a un tallo de un estambre se llama **filamento**, el cual sostiene la **antera**. La antera produce **granos de polen**, que producen el esperma.

El carpelo consta de tres partes básicas: el estigma, el estilo y el ovario. El **estigma** es la parte superior pegajosa que retiene los granos de polen que llegan a él. El **estilo** es una estructura tubular que sostiene el estigma y lo comunica con la base redondeada del carpelo, llamada el **ovario** (la parte del carpelo donde se forman las semillas).

Dentro del ovario se encuentran partes que parecen semillas llamadas **óvulos**, las cuales contienen huevos. Los óvulos se convierten en semillas como resultado de la fecundación de los huevos por el esperma. La **polinización** es la transferencia de los granos de polen de la antera al estigma.

Después de la polinización, de los granos de polen empieza a salir un tubo largo, llamado **tubo de polen**, que baja por el estilo hacia los huevos. El esperma baja por los tubos de polen hasta alcanzar los huevos. Después de la fecundación, los sépalos, los pétalos y los estambres se marchitan y el ovario y los óvulos se desarrollan. El ovario se transforma en un fruto y los óvulos forman semillas dentro del fruto.

Entre otras partes de la flor que no toman parte directa en la elaboración de semillas, se cuentan los sépalos y los pétalos. Los **sépalos** son estructuras parecidas a hojas que rodean y protegen la flor antes de que abra. Los **pétalos** son estructuras que rodean la flor y ayudan a proteger sus órganos reproductivos. Los colores y las pintas de los pétalos atraen insectos y otros animales que colaboran en la polinización. El color puede atraer insectos desde lejos y, una vez que se encuentran cerca, el aroma de la flor puede atraer aún más al insecto. Entre la base de la flor y el extremo del **pedúnculo** (el tallo que une la flor con el resto de la planta) se encuentra el **receptáculo**, que sostiene la flor.

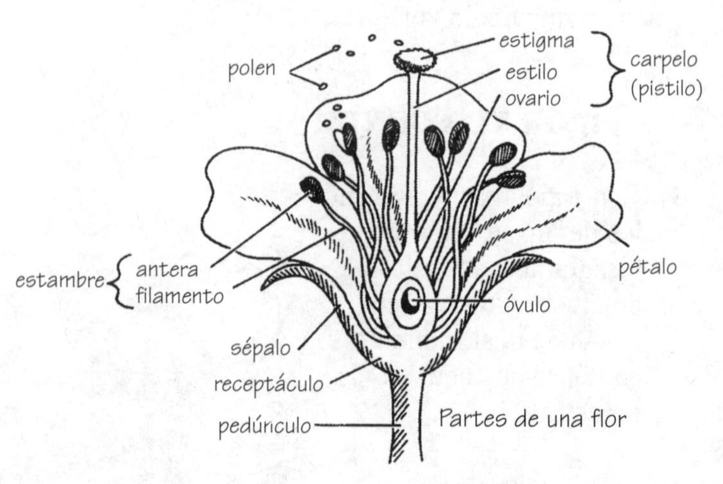

Partes de una flor

ACTIVIDAD: ARMA UNA FLOR

Objetivo

Hacer un modelo de las partes de una flor.

Materiales

regla
lápiz
tijeras
2 piezas de cartulina de 22.5 × 30 cm (9 × 12 pulgadas): una verde y una roja
pegamento
popote (pajilla) flexible (verde, si puedes conseguirlo)
4 cucharadas soperas (60 ml) de yeso
1 cucharita para medir (5 ml)
vaso de papel de 90 ml (3 onzas)
agua corriente
palito para manualidades
toalla de papel
copia de las "Piezas para armar una flor" que puedes ver abajo
limpiapipas verde de 15 cm (6 pulgadas)
perforadora
2 limpiapipas amarillos de 30 cm (12 pulgadas)
pieza de cartulina blanca de 15 × 25 cm (6 × 10 pulgadas)
bolígrafo
2 crayolas: una roja y una verde

(doblez)
(corta uno)
sépalos

(coloca en el doblez)
pétalo
(corta uno)

carpelo
(corta dos)

Procedimiento

1. Con lápiz y regla, traza una línea de lado a lado a 1.25 cm ($^{1}/_{2}$ pulgada) de uno de los bordes angostos de la cartulina verde. Recorta la tira.
2. Cubre con pegamento un lado de esta tira de cartulina verde. Después, enróllalo alrededor del lado flexible del popote a unos 0.60 cm ($^{1}/_{4}$ de pulgada) del extremo. La tira enrollada representa el receptáculo.
3. Vierte las 4 cucharadas soperas (60 ml) de yeso en el vaso.
4. Agrega 4 cucharaditas (20 ml) de agua al vaso. Revuelve la mezcla con el palito. *ATENCIÓN: tira el palito a la basura. No tires el yeso en el fregadero, porque puede tapar el desagüe.*
5. Con la toalla de papel, limpia el exterior del vaso, así como el interior por encima de la superficie de yeso. Tira la toalla.
6. Mete el popote en el centro del yeso con la parte flexible hacia arriba. Reacomoda el popote según vaya siendo necesario hasta que el yeso endurezca lo suficiente para sostener el popote en posición vertical, lo que tardará unos 10 minutos.

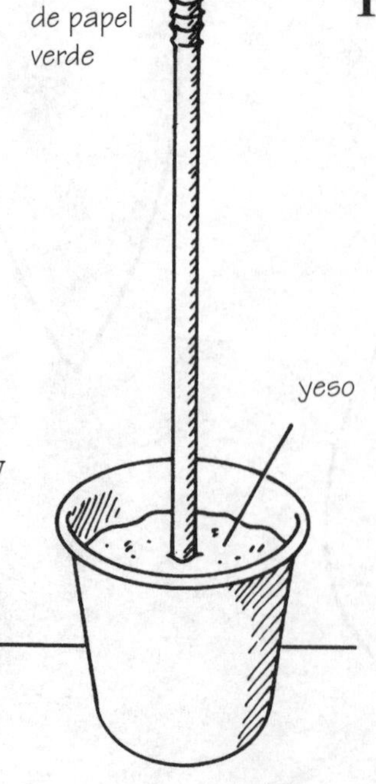

7. Recorta las piezas para armar la flor.
8. Coloca la pieza de los sépalos sobre la cartulina verde. Haz un trazo alrededor de la pieza y después corta a lo largo del trazo.
9. Dobla a la mitad lo que queda de la cartulina verde. Coloca la pieza del carpelo sobre la cartulina doblada. Haz un trazo alrededor de la pieza y después corta las dos capas de cartulina a lo largo del trazo.
10. Usa el pegamento para fijar las dos piezas del carpelo entre sí, con unos 2.5 cm (1 pulgada) del limpiapipas verde en medio de ambas, como se muestra en la figura. Deja secar el pegamento.
11. Dobla dos veces a la mitad la cartulina roja. Coloca la pieza del pétalo en la esquina de la cartulina doblada como se muestra en la figura. Haz un trazo alrededor del modelo del pétalo y luego corta las cuatro capas de cartulina a lo largo del trazo. No cortes la esquina doblada.
Desdobla la cartulina para formar un solo pedazo con cuatro pétalos unidos entre sí.
12. Con la perforadora, haz un agujero en el centro de las piezas de los pétalos y los sépalos.

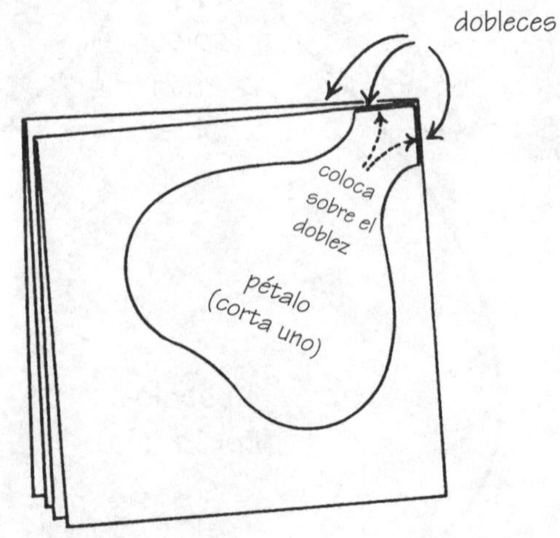

13. Dobla los sépalos a lo largo de las líneas indicadas en el modelo.

14. Aplica pegamento en la parte superior del receptáculo (la tira enrollada alrededor del popote). Inserta el popote en el agujero de la pieza de los sépalos y apriétala contra el pegamento del receptáculo.

15. Aplica pegamento en el centro plano de los sépalos. Después inserta el popote en el agujero de los pétalos. Acomoda la pieza de modo que los pétalos queden encima de los sépalos. Deja secar el pegamento.

16. Dobla a la mitad uno de los limpiapipas amarillo. Inserta el extremo doblado unos 5 cm (2 pulgadas) en el popote. Repite este paso con el otro limpiapipas amarillo.

17. Inserta en el popote todo el limpiapipas verde unido al carpelo de manera que el carpelo quede situado entre los limpiapipas amarillos, como se muestra en la figura.

18. Dobla unos 2.5 cm (1 pulgada) el extremo de cada limpiapipas amarillo. Tuerce los limpiapipas de manera que su extremo doblado apunte hacia afuera del carpelo y en direcciones diferentes.

19. Haz una leyenda como la que se muestra en la figura, doblando la pieza de cartulina blanca a la mitad juntando los lados angostos. Haz un dibujo de las partes del modelo de tu flor, numera las partes en el dibujo y después identifica las partes numeradas.

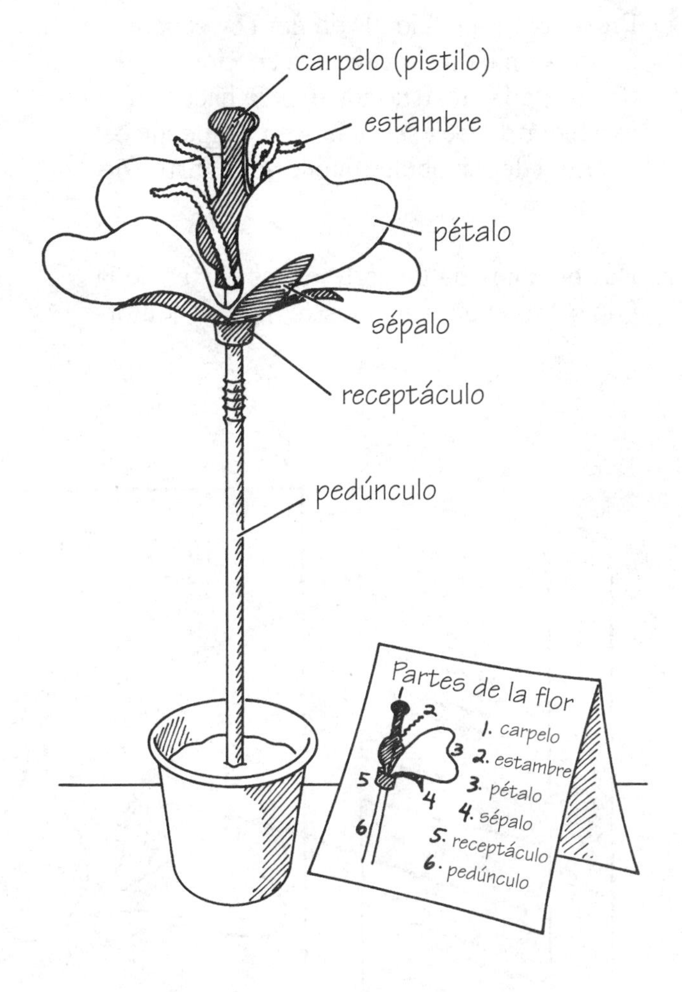

Resultados

Acabas de hacer un modelo de las partes de una flor.

¿Por qué?

Tu modelo es de una **flor completa**, lo que significa que tiene las cuatro partes básicas siguientes: estambres, carpelo, pétalos y sépalos. Una **flor incompleta** carece de una o más de las cuatro partes básicas de una flor. En tu modelo, los limpiapipas amarillos representan los estambres. El carpelo es el centro de la flor, rodeado por varios estambres. Los pétalos rojos rodean y protegen el carpelo y los estambres. Los sépalos se encuentran debajo de los pétalos, a los que rodean y protegen antes de que la flor abra. El receptáculo está representado por la tira verde enrollada alrededor del popote. Esta parte de la flor está en el extremo del **pedúnculo** (el tallo de la flor) y sostiene las partes de la flor.

¡POR TU CUENTA!

1. Presenta tu modelo 3D de flor colocándolo frente a un exhibidor de tres secciones. (Consulta las instrucciones para hacer un exhibidor de tres secciones en el apéndice 1.) El título del exhibidor puede ser "Partes de la flor".

2. Haz el dibujo de un corte de las partes de la flor, como el que se muestra aquí, con información sobre cada parte. Pega los dibujos en el exhibidor usando un lápiz adhesivo. Une con cordel las partes de la flor y las hojas de información.

BIBLIOGRAFÍA RECOMENDADA

VanCleave, Janice, *Guía de los mejores proyectos para la feria de ciencias*, México, Editorial Limusa.

Vázquez Yáñez, Carlos, *La reproducción de las plantas*, México, FCE.

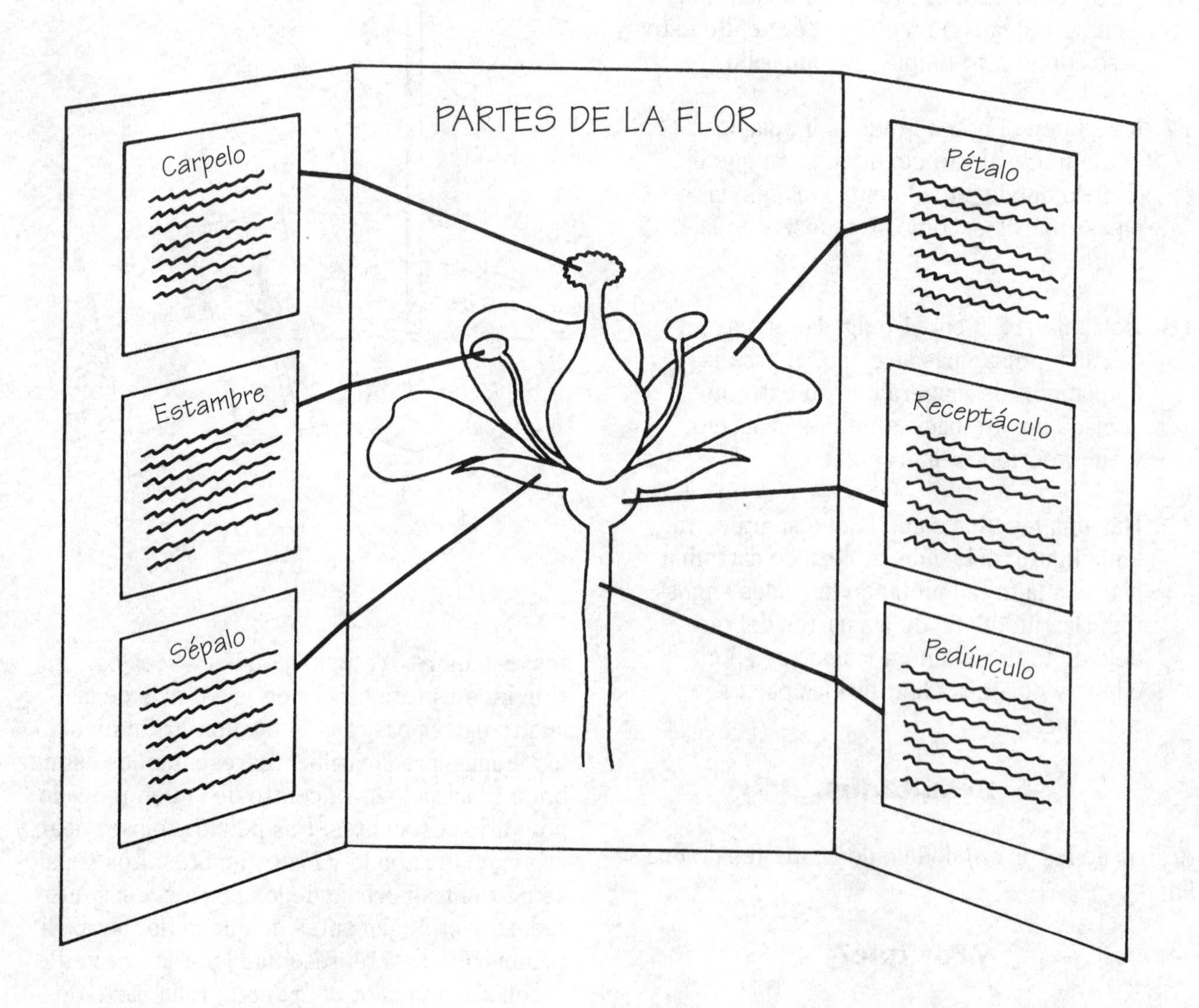

III

QUÍMICA

11

¿Caliente o frío?

¡Haz el modelo de un termómetro!

La **temperatura** es una medida de qué tan caliente o frío está un objeto. La **energía** es la capacidad de un objeto de provocar cambios. El **calor** es la energía que fluye de un material con una temperatura alta a un material con una temperatura más baja.

La **energía térmica** es la **energía cinética, EC** (la energía que tiene un objeto debido a su movimiento), total de las partículas que constituyen el material. Cuando un material está caliente, sus partículas se mueven más rápido que cuando está frío. Por tanto, sus partículas individuales tienen mayor energía cinética cuando están calientes que cuando están frías. La energía térmica (la energía cinética total de las partículas) del material es mayor cuando el material está caliente que cuando está frío. Aun cuando la energía térmica de un material da lugar a su temperatura, la temperatura no es una medida de la energía térmica de un material. Más bien, la energía térmica es la suma de la energía cinética de todas las partículas en un material, mientras que la temperatura es la **energía cinética promedio** (la energía total dividida entre el número total de partículas). Por ejemplo, una jarra con limonada puede tener la misma temperatura que un vaso con limonada porque su energía cinética es la misma. Pero la jarra con limonada tiene más energía térmica total que el vaso con limonada, porque hay más partículas en la jarra que en el vaso.

Un **termómetro** es un instrumento que mide la temperatura de un material. En 1593, Galileo Galilei (1564-1642) diseñó el primer termómetro rudimentario, al que llamó "termoscopio". Este termómetro se fabricó con un recipiente de vidrio en forma de bulbo como del tamaño de un huevo de gallina con un tubo estrecho de unos 40 cm (16 pulgadas) de largo. El diseño del termómetro de Galileo tenía como base el hecho de que los gases se expanden cuando se calientan y se contraen cuando se enfrían. Galileo calentaba el bulbo entre sus manos y después metía el tubo en un recipiente con agua. Cuando el bulbo se enfriaba, el aire que contenía se contraía y el agua subía por el tubo para llenar el espacio vacío. El termoscopio no tenía graduación, por lo que sólo podían hacerse mediciones **cualitativas** (relacionadas con la cualidad o característica de algo), como caliente, tibio, frío o muy frío. Pero incluso sin graduación, el termómetro de aire de Galileo podía usarse para comparar con mayor exactitud temperaturas y materiales que mediante el simple tacto.

Daniel Gabriel Fahrenheit (1686-1736), científico alemán, introdujo en 1709 un termómetro lleno de alcohol y, en 1714, otro lleno de mercurio. En 1724 diseñó la escala de temperatura que aún lleva su nombre. La escala Fahrenheit (F) que se usa hoy en día tiene dos puntos de referencia: el punto de congelación (32 °F) y el punto de ebullición (212 °F) del agua. La escala Fahrenheit todavía es de uso común en Estados Unidos (aunque con poca frecuencia en trabajos científicos). La escala Celsius (C) recibió su nombre por el astrónomo sueco Anders Celsius (1701-1744). A la escala Celsius que hoy se usa se le asignan los 0° al punto de congelación del agua y 100° a su punto de ebullición. La escala de temperatura Kelvin (K) fue desarrollada a mediados del siglo XIX por lord Kelvin (1824-1907). El punto cero de esta escala se considera la temperatura más baja posible de cualquier objeto en el universo y corresponde aproximadamente a –273 °C. En el punto de congelación del agua, la escala Kelvin marca 273 K. En el punto de ebullición del agua marca 373 K. Los científicos usan de manera generalizada las escalas Celsius y Kelvin, mientras que las escalas Celsius o Fahrenheit se utilizan en la vida diaria. Mediante el uso de las escalas, pueden realizarse mediciones **cuantitativas** (relacionadas con la medición o la cantidad de algo), como una temperatura exacta.

Son muchos los tipos de termómetro que se han usado. En una época, el termómetro de mercurio fue el principal método para medir la temperatura corporal. El tubo tenía una parte estrecha que impedía que el mercurio regresara al bulbo hasta que se sacudiera el termómetro. Con esto, se tenía tiempo para leer la temperatura. Cuando se supo que el mercurio era peligroso para la salud, se diseñaron otros tipos de termómetro para medir la temperatura corporal, como las tiras flexibles recubiertas de cristales especiales. Los cristales reflejan diferentes colores de luz dependiendo de la posición de sus moléculas, la cual cambia con la temperatura. En los termómetros llenos de líquido, el mercurio se sustituyó con líquidos no peligrosos, como alcohol y una sustancia parecida a un aceite vegetal mezclada con un colorante.

ACTIVIDAD: TERMÓMETRO

Objetivo

Hacer el modelo de un termómetro lleno de líquido.

Materiales

copia del dibujo del termómetro de la página 56
crayola roja
tijeras
regla
bolígrafo
cinta adhesiva transparente

Procedimiento

1. Con la crayola roja, pinta la tira del líquido y el bulbo del dibujo del termómetro.
2. Recorta las dos áreas sombreadas indicadas.
3. Corta a lo largo de la línea punteada para separar la tira del líquido de las demás secciones.
4. Marca cada línea de doblez poniendo la regla a lo largo de cada una de ellas y trazando las líneas con el bolígrafo.
5. Dobla el papel a lo largo de la línea de doblez 1, después a lo largo de la 2 y une con cinta las secciones dobladas.
6. Inserta la tira del líquido en la ranura correspondiente, de manera que el lado de color de la tira sea visible a través de la abertura en el frente del modelo.

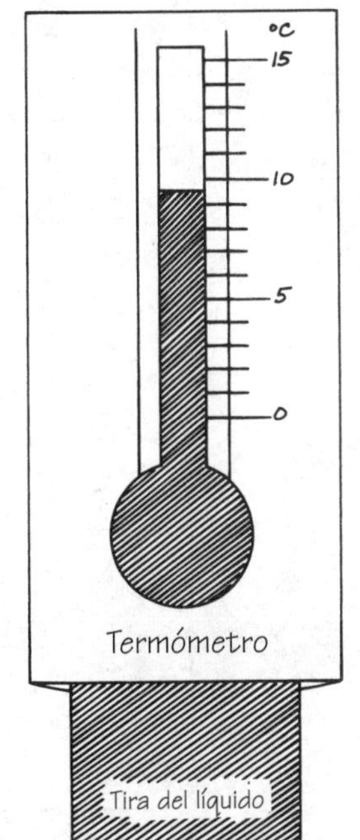

7. Mueve la tira de color hacia arriba y hacia abajo para indicar diferentes temperaturas. La parte superior de la tira se alinea con la temperatura en la escala.
8. Haz un libro con solapas con la información sobre la escala Celsius y sobre cómo funciona el termómetro. (Consulta en el apéndice 5 las instrucciones para hacer un libro con solapas.)

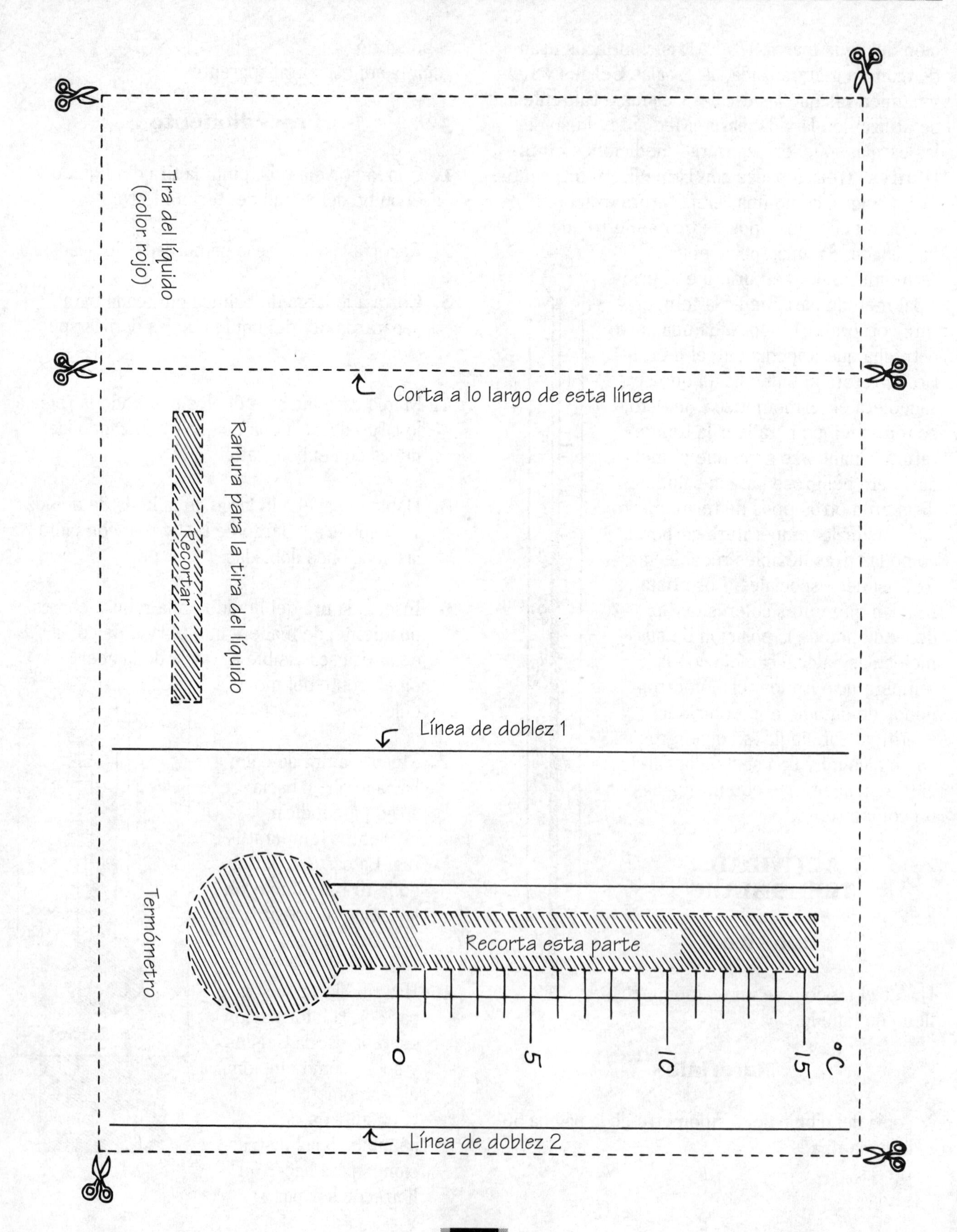
Tira del líquido
(color rojo)
Corta a lo largo de esta línea
Ranura para la tira del líquido
Recortar
Línea de doblez 1
Termómetro
Recorta esta parte
0
5
10
15
°C
Línea de doblez 2

Resultados

Acabas de hacer el modelo de un termómetro Celsius.

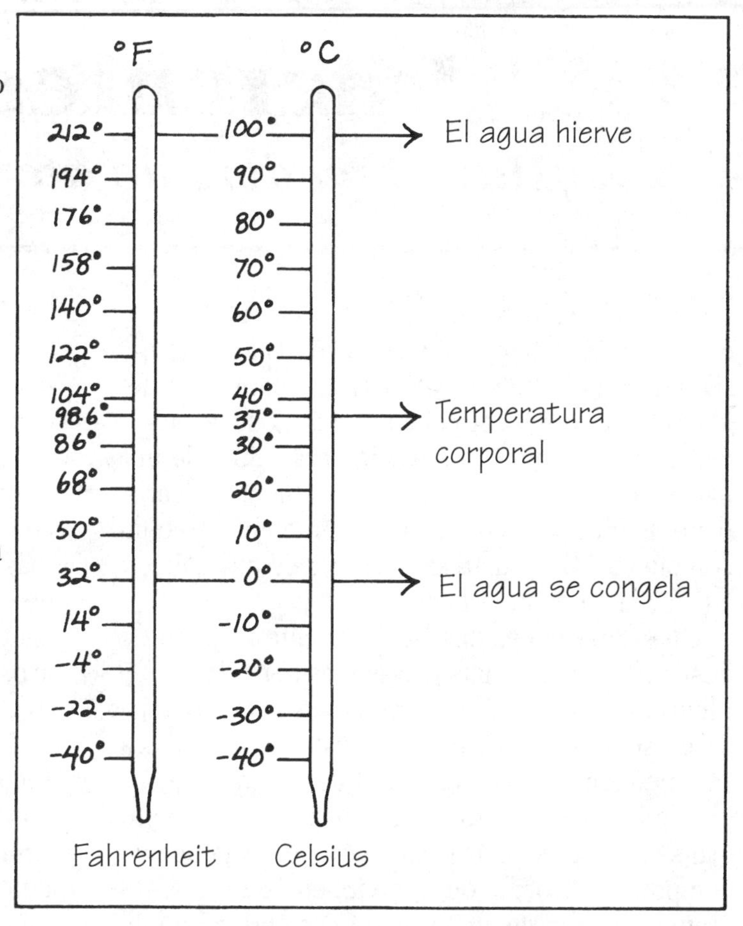

¿Por qué?

A fin de obtener una escala amplificada, el modelo del termómetro de este experimento sólo representa una parte del termómetro Celsius, en lugar del instrumento completo. El termómetro consta de un tubo largo que sale de un bulbo y tanto el bulbo como el tubo contienen un líquido. Cuando el líquido del bulbo se calienta, se expande y asciende por el tubo. La lectura en la escala aumenta a medida que la temperatura se eleva. Cuando el líquido del bulbo se enfría, se contrae y baja por el tubo. La lectura en la escala disminuye a medida que baja la temperatura. Para la escala de tu modelo, cada división tiene un valor de 1 grado Celsius (1 °C). Así, un punto situado en medio de dos divisiones tiene el valor de la mitad de un grado, lo que puede escribirse como 0.5 °C.

¡POR TU CUENTA!

1. Haz un atril en forma de tienda para apoyar tu termómetro. (Consulta las instrucciones para hacer el atril en forma de tienda en el apéndice 7.)

2. Presenta tu modelo de termómetro frente a un exhibidor de tres secciones. (Consulta las instrucciones para hacer un exhibidor de tres secciones en el apéndice 1.) En la sección central del exhibidor haz dibujos de un termómetro Celsius y uno Fahrenheit comparando las escalas de ambos, como se muestra en la figura. En esas escalas pueden marcarse algunas temperaturas comunes, como el **punto de congelación** (la temperatura a la que un líquido se congela, es decir, cambia a sólido) y el **punto de ebullición** (la temperatura a la que ocurre la vaporización del líquido) del agua, así como la temperatura corporal.

BIBLIOGRAFÍA RECOMENDADA

Callan, Jim, *Sorpréndete con los grandes científicos*, México, Editorial Limusa.
VanCleave, Janice, *Enseña la ciencia de forma divertida*, México, Editorial Limusa.

12

Diferentes tipos

¡Haz el modelo de átomos y moléculas!

La **materia** es todo aquello que ocupa un lugar en el espacio y tiene **masa** (la cantidad de materia que constituye un material). La materia es de lo que está compuesto el universo. Los científicos usan el término **sustancia** para hablar de una parte básica de la materia. Una sustancia se compone de un tipo de materia, sea un elemento o un compuesto. Una sustancia química es una sola sustancia o una mezcla de sustancias.

Un **elemento** es una sustancia que no puede descomponerse en sustancias más sencillas por medios ordinarios. Los elementos se componen de un solo tipo de **átomo**, que es la unidad básica más pequeña de un elemento que conserva las propiedades del mismo. Por ejemplo, el elemento oro se compone de átomos de oro, el oxígeno se compone de átomos de oxígeno, etcétera. Los átomos son tan pequeños que unos 150 mil millones de ellos podrían caber en el punto final de esta oración. Se han identificado más de cien elementos diferentes. Los elementos que se encuentran en la naturaleza se llaman **elementos naturales**. El carbono, el oxígeno, el nitrógeno y el mercurio son elementos naturales. Los **elementos sintéticos** son aquellos que los científicos crean en sus laboratorios. Entre los elementos sintéticos se cuentan el californio, el plutonio, el nobelio, el einsteinio y el unnilpentio.

Los **símbolos** de la mayoría de los elementos constan de una o dos letras. Varios elementos sintéticos nuevos tienen tres letras. Si el símbolo consta de una sola letra, se escribe con mayúscula, como la C para el elemento carbono. Cuando el símbolo consta de dos letras, la primera es mayúscula y la segunda minúscula, como Hg para el mercurio. Los elementos con tres letras tienen una letra mayúscula y dos minúsculas, como Unp para el elemento unnilpentio.

Un **compuesto** es una sustancia en la que los átomos de dos o más elementos se combinan en una proporción determinada. Existen dos tipos de compuestos: moleculares y iónicos. Las moléculas del mismo género son las unidades básicas de un **compuesto molecular**. Una **molécula** (partícula compuesta por dos o más átomos) es la partícula más pequeña de un compuesto molecular que puede existir de manera independiente conservando las propiedades del compuesto. El azúcar que acostumbramos consumir es sucrosa, un compuesto molecular formado de moléculas de sacarosa.

Algunos elementos existen en forma de **moléculas diatómicas** (moléculas que constan de dos átomos iguales o distintos). Por ejemplo, el símbolo del elemento hidrógeno es H, pero el hidrógeno existe en forma natural como una molécula diatómica. La **fórmula** (la combinación de símbolos de elementos usada para representar una molécula) para el hidrógeno diatómico es H_2. El 2 pequeño que sigue un poco más abajo a la H indica que hay dos átomos de hidrógeno enlazados entre sí.

Un **ion** es un átomo o grupo de átomos con una carga positiva o negativa. Los **compuestos iónicos** están formados de **cationes** (iones positivos) y **aniones** (iones negativos). El cloruro de sodio, conocido como sal de mesa, es un compuesto iónico que consta de cationes de sodio y aniones de cloro.

Un compuesto tiene propiedades diferentes de los elementos que lo forman. Por ejemplo, el elemento sodio es un sólido que reacciona de manera violenta con el agua, y el elemento cloro es un gas venenoso. Cuando estos dos elementos se combinan para formar un compuesto, el resultado es un cristal sólido blanco de sal de mesa: cloruro de sodio.

Algunos compuestos y sus fórmulas		
Nombre común	**Nombre químico**	**Fórmula química**
Levadura en polvo	Bicarbonato de sodio	$NaHCO_3$
Azúcar de mesa	Sucrosa	$C_{12}H_{22}O_{11}$
Sal de mesa	Cloruro de sodio	$NaCl$
Fluoruro de estaño	Fluoruro de estaño	SnF_2
Vinagre	Ácido acético	$HC_2H_3O_2$
Agua	Agua	H_2O

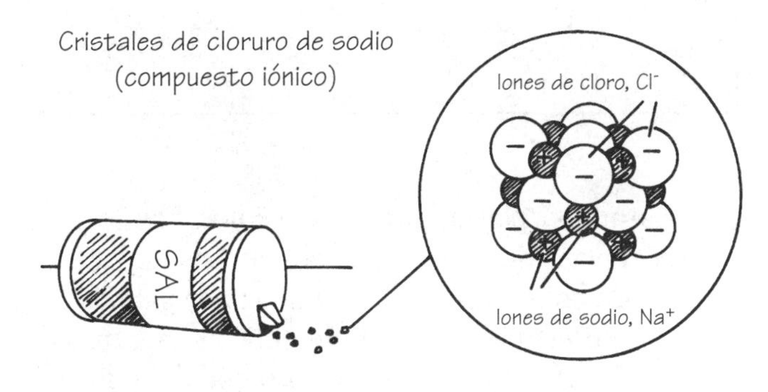

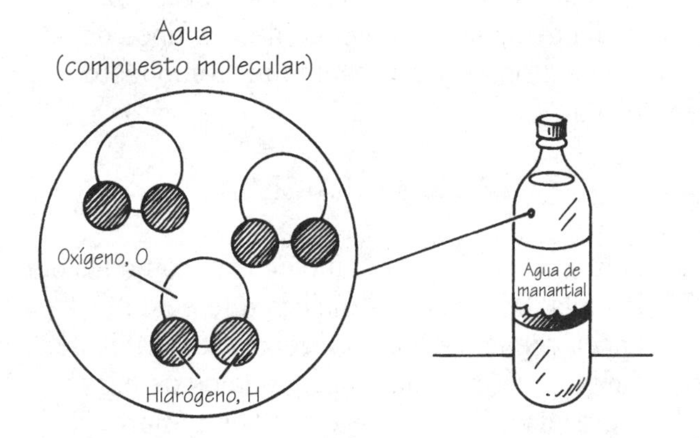

ACTIVIDAD: SOLO Y ASOCIADO

Objetivo

Hacer modelos de átomos y moléculas.

Materiales

2 piezas de plastilina del tamaño de un limón: una roja y otra amarilla
regla
bolígrafo
hoja de papel carta
2 crayolas: una roja y otra amarilla
palillos para dientes

Procedimiento

1. Divide la plastilina roja en cuatro partes iguales. Dale forma de bola a cada pedazo de plastilina. Cada parte representa un átomo de hidrógeno.

2. Divide la plastilina amarilla en tres partes iguales. Dale forma de bola a cada pedazo de plastilina. Cada parte representa un átomo de oxígeno.

3. Con la regla, el bolígrafo y el papel carta, haz una tabla de datos de la materia como la que se muestra en la página 60.

4. En la tabla de datos, haz un dibujo en color de cada uno de los dos tipos de átomos: hidrógeno (bola de plastilina roja) y oxígeno (bola de plastilina amarilla).

Datos de la materia			
Átomos			
hidrógeno ●		oxígeno ○	
Moléculas			
Nombre	**Fórmula**	**Estructura**	**Modelo**
Hidrógeno (diatómico)	H_2	H—H	
Oxígeno (diatómico)	O_2	O═O	
Agua	H_2O	O / \ H H	

5. Forma moléculas usando bolas de plastilina para los átomos y palillos para dientes para los enlaces. Las estructuras listadas en esta tabla indican el número y lugar de los enlaces entre los átomos. Por ejemplo, hay enlaces dobles entre los átomos de oxígeno en una molécula de oxígeno.

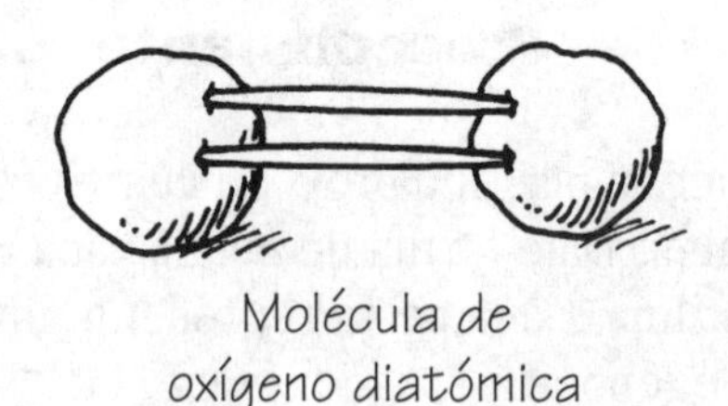

Molécula de oxígeno diatómica

6. En la columna "Modelo" de la tabla, haz un dibujo en color de cada tipo de molécula.

Resultados

Acabas de hacer modelos de átomos y moléculas, y describiste los modelos en una tabla de datos.

¿Por qué?

Cada bola de plastilina representa un átomo, y cada tipo de "átomo" difiere de los otros tipos de "átomos" por su tamaño y/o color. Las "moléculas" de plastilina están hechas de "átomos" de bolas de plastilina unidos por palillos para dientes que representan enlaces. Algunas de las moléculas constan de dos átomos del mismo tipo y representan moléculas diatómicas. La molécula de agua se compone de dos tipos diferentes de átomos y representa un compuesto molecular.

¡POR TU CUENTA!

1. Haz modelos de otras moléculas, como las de la tabla "Moléculas sencillas que puedes hacer" de la página 61. Prepara una tabla de datos de la materia y haz modelos de esas moléculas. Puedes encontrar el nombre, la fórmula y la estructura de otras moléculas en un libro de química.

2. Prepara hojas de información para los dos tipos de modelos, de átomos y de moléculas. Por ejemplo, en la hoja de átomos, escribe el título "Átomos", dibuja un diagrama de uno de los átomos de plastilina y luego escribe acerca de los átomos en general, incluyendo información sobre elementos y elementos diatómicos. Incluye una definición de átomo y

Moléculas sencillas que puedes hacer		
Nombre	**Fórmula**	**Estructura**
Bióxido de carbono	CO_2	O═C═O
Cloro	Cl_2	Cl–Cl
Flúor	F_2	F–F
Nitrógeno	N_2	N≡N

presenta ejemplos. Prepara una hoja similar sobre moléculas. Estas hojas, así como la tabla de datos de la materia preparada en el experimento original, pueden enmarcarse y presentarse en un exhibidor de tres secciones. La tabla de datos puede estar en el centro con una hoja de información en cada sección lateral. Consulta en el apéndice 1 las instrucciones para hacer un exhibidor de tres secciones, y en el apéndice 6 encontrarás las instrucciones para el enmarcado. Tus modelos de átomos y moléculas pueden acomodarse al frente del exhibidor.

BIBLIOGRAFÍA RECOMENDADA

Callan, Jim, *Sorpréndete con los grandes científicos*, México, Editorial Limusa.

VanCleave, Janice, *Enseña la ciencia de forma divertida*, México, Editorial Limusa.

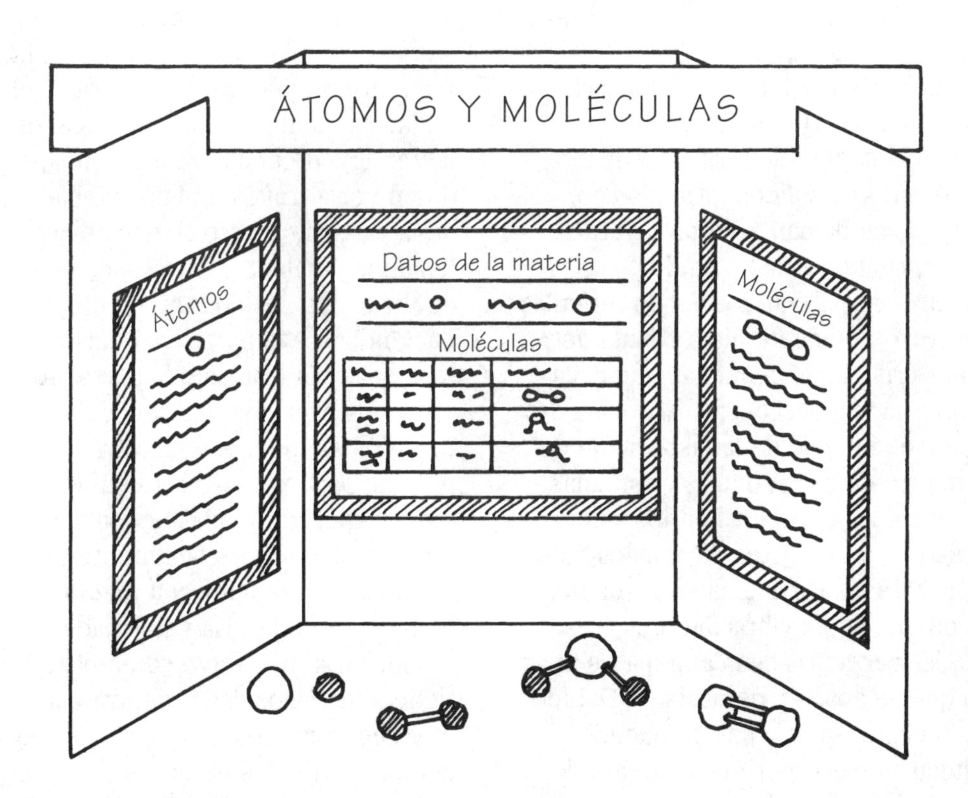

13

Diferentes formas

¡Haz un modelo de los estados de la materia!

Las **propiedades físicas** son las características de una sustancia que pueden medirse y/u observarse sin cambiar la estructura de la sustancia. Las propiedades físicas de la materia incluyen estado, tamaño, color y sabor.

La forma en que la materia existe es una propiedad física importante de la misma. Las tres formas comunes de la materia en la Tierra, llamadas **estados de la materia**, son sólida, líquida y gaseosa. El estado de una sustancia depende del movimiento de sus partículas (átomos, moléculas o iones). Las partículas en los **sólidos** están muy cercanas.

La disposición de las partículas que forman la mayor parte de los **sólidos** es un patrón regular y repetido con superficies planas llamado **retícula cristalina**. Los sólidos formados por retículas cristalinas se llaman **sólidos cristalinos**. Por ejemplo, cuando el agua líquida se congela, sus moléculas se enlazan formando retículas cristalinas. Un trozo grande de hielo consta de muchas retículas cristalinas pequeñas que encajan entre sí como un rompecabezas. La forma de un sólido cristalino depende de la disposición de las partículas dentro de sus retículas cristalinas.

Las fuerzas entre las partículas en los sólidos cristalinos actúan como resortes, los cuales mantienen relativamente las partículas en la misma posición sólo con una ligera vibración. Los "resortes" evitan que las partículas sean empujadas unas contra otras o que se aparten demasiado. Debido a esta circunstancia, las partículas no pueden salirse de su lugar ni pasar por encima o alrededor unas de otras. Esto significa que un sólido cristalino tiene una forma y un **volumen** (cantidad de espacio que ocupa un sólido) definidos.

Sin embargo, existen pocos sólidos en los que las partículas carecen de una estructura interna ordenada. Por lo contrario, sus partículas suelen ser estructuras en forma de cadenas que pueden enredarse o torcerse en lugar de amontonarse en una estructura rígida de patrones repetitivos. Como la estructura de las partículas no es rígida como la de los sólidos cristalinos, las partículas pueden fluir lentamente unas alrededor de otras y, por lo tanto, no conservan una forma definida. Los sólidos que son **no cristalinos** (que no están compuestos de retículas cristalinas) se llaman **sólidos amorfos**. El caucho, el plástico e incluso el vidrio son sólidos amorfos. Aunque el vidrio se siente rígido al tacto, es como un líquido de movimiento muy lento. En el vidrio, el movimiento de las partículas toma muchos años. Si miras por la ventana de una casa muy vieja, te será más difícil ver a través de la parte baja del vidrio que de la parte alta. Esto se debe a que, con el paso de los años y debido a la gravedad, las partículas de vidrio han fluido lentamente hacia abajo, haciendo que la parte baja del vidrio de la ventana sea más gruesa y la parte alta más delgada.

En los **líquidos**, las partículas tienen enlaces más flojos y pueden deslizarse una sobre otra. Así, las partículas de los líquidos se mueven con mayor libertad que las de los sólidos. Algunos líquidos fluyen más fácilmente que otros. La medida de la rapidez con que fluye un líquido se llama **viscosidad** (la velocidad a la que fluye un líquido). La miel fluye con lentitud y se dice que tiene alta viscosidad, mientras que el agua, que fluye con rapidez, tiene baja viscosidad. Puesto que las partículas de un líquido pueden moverse en cualquier dirección, los líquidos no tienen una forma definida, pero sí un volumen definido. Si viertes un litro de agua en un recipiente cuadrado, el líquido toma la forma de un cubo, pero si lo viertes en un recipiente redondo, se vuelve redondo. Sin embargo, en los dos recipientes, sin importar su forma, el volumen de agua, que es de un litro, sigue siendo el mismo.

El tercer estado de la materia es el **gaseoso**, en el cual las partículas se mueven con gran rapidez en todas direcciones. Las partículas de gas están en movimiento constante, chocando todo el tiempo unas con otras, contra las paredes de su recipiente y contra todo lo que encuentren en su camino. Un gas adquiere el volumen y la forma del recipiente en el que está contenido. Las partículas de gas pueden empujarse para que queden muy próximas. Por ejemplo, cuando inflas un globo, comprimes una gran cantidad de gas en un espacio reducido. Las partículas de gas también pueden diseminarse con facilidad. Por ejemplo, el aroma de galletas que se están horneando puede olerse por toda la casa porque los gases que se escapan de las galletas se esparcen y llenan la casa. El término **vapor** se aplica al estado gaseoso de una sustancia cuyo estado normal es líquido o sólido.

Un **cambio físico** es aquel en el que las propiedades físicas de una sustancia pueden modificarse, pero sin que las partículas que constituyen la sustancia sufran cambios. El que una sustancia se derrita, congele, evapore o condense son ejemplos de cambios físicos. Cuando se calientan los sólidos, como el hielo, se **fusionan** (cambian a líquido), y los líquidos, como el agua, se **evaporan** (cambian a un gas en la superficie del líquido). Cuando se enfrían los gases, como el vapor de agua, se **condensan** (cambian a líquido), y los líquidos, como el agua, se **congelan** (cambian a sólido).

ACTIVIDAD: FIRME

Objetivo

Modelar el estado sólido de la materia.

Materiales

- pegamento
- dos piezas de cartulina de 50 × 70 cm (20 × 28 pulgadas)
- metro
- bolígrafo
- tijeras
- marcador
- pieza cuadrada de cartulina de 20 × 20 cm (8 × 8 pulgadas)
- tres crayolas: 1 amarilla, 1 azul y 1 verde
- cinta adhesiva transparente
- trozo de cordel de 140 cm (56 pulgadas)
- 6 tarjetas de archivo sin rayas: 2 amarillas, 2 azules y 2 verdes
- perforadora

Procedimiento

1. Con las hojas de cartulina de 50 × 70 cm (20 × 28 pulgadas), prepara un exhibidor de tres secciones con tira para título. (Consulta

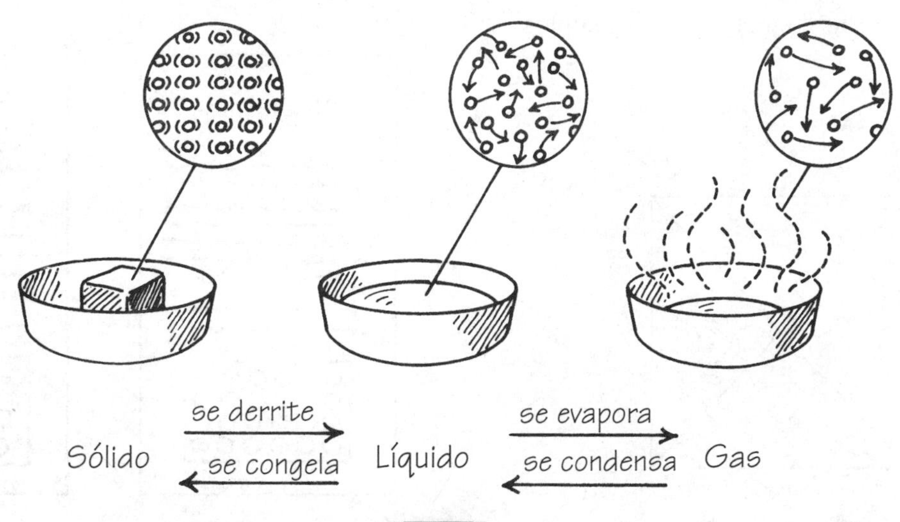

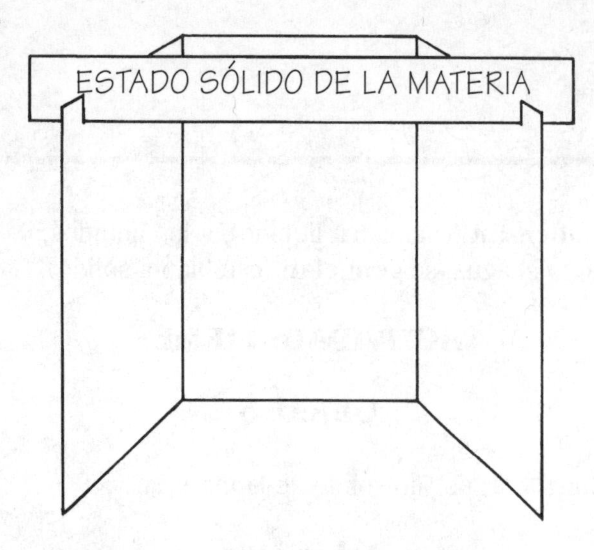

en el apéndice 1 las instrucciones para hacer el exhibidor de tres secciones.) Haz los cortes a 2.5 cm (1 pulgada) del borde de los paneles laterales para insertar la tira del título. Haz las muescas para la tira del título de 2.5 cm (1 pulgada) a partir del borde de las secciones laterales.

2. Con el marcador, escribe en la tira el título "Estado sólido de la materia".

3. Corta el cordel en siete pedazos de 20 cm (8 pulgadas) cada uno.

4. Con el cuadrado de cartulina de 20 × 20 cm (8 × 8 pulgadas) y un pedazo de cordel de 20 cm (8 pulgadas), haz una pirámide colgante de cartulina. (Consulta en el apéndice 9, parte D, las instrucciones para hacer la pirámide colgante.) Nota: antes de pegar con cinta adhesiva los lados de la pirámide, colorea con crayolas: el triángulo A amarillo, el triángulo C azul y el triángulo D verde. Con el marcador escribe "Tipos" en el lado amarillo de la pirámide, "Interior" en el azul y "Ejemplos" en el verde.

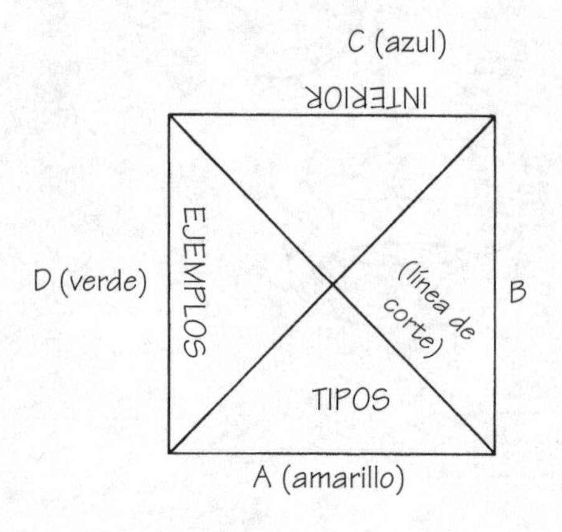

5. Con cinta adhesiva, fija el cordel al triángulo B. Desliza el triángulo B encima del triángulo A y pégalos con cinta adhesiva.

6. Con la cinta adhesiva, fija el cordel de la pirámide en el centro de la tira del título del exhibidor.

7. Con la perforadora, haz un agujero en el centro de uno de los lados cortos de cada tarjeta de archivo.

8. En una de las tarjetas amarillas escribe el título "Cristalino" y en la otra "Amorfo". En cada tarjeta escribe una descripción física general de cada tipo de sólido.

9. Con la perforadora, haz dos agujeros en el borde inferior de la pirámide colgante a unos 7.5 cm (2.5 pulgadas) de cada esquina del lado amarillo (titulada "Tipos"). Toma un pedazo de cordel y anuda un extremo en el agujero de la pirámide y el otro en el agujero de una de las tarjetas amarillas. Repite este procedimiento con la otra tarjeta amarilla.

10. Repite los pasos 8 y 9 con las tarjetas azules y el lado azul de la pirámide. Escribe una descripción de la estructura interna de los dos tipos de sólidos. En la parte inferior de cada tarjeta, dibuja un ejemplo de la estructura interna de cada tipo de sólido.

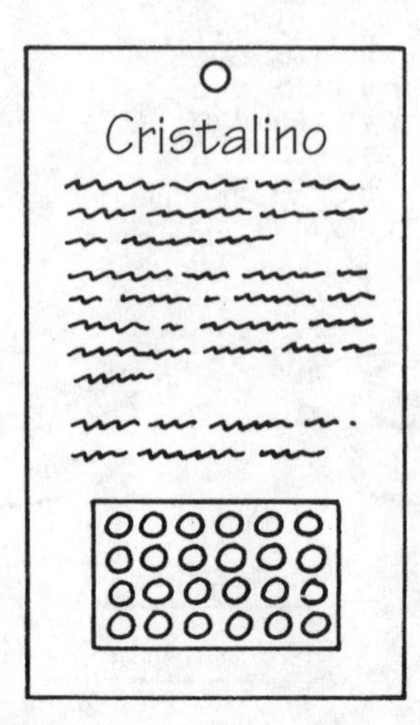

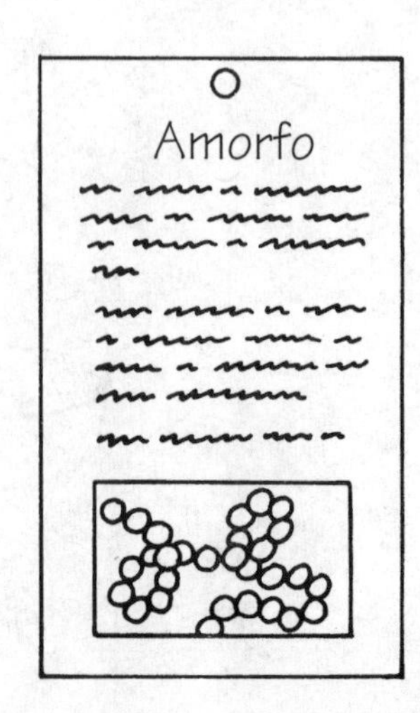

11. Repite los pasos 8 y 9, usando las tarjetas verdes y el lado verde de la pirámide. Escribe una lista de ejemplos de los dos tipos de sólidos. Dibuja diagramas de los ejemplos en la parte inferior de cada tarjeta.

Resultados

Acabas de hacer un modelo del estado sólido de la materia.

¿Por qué?

La pirámide muestra el estado sólido de la materia. Las tarjetas de color que cuelgan de la pirámide describen los dos tipos de estados sólidos: cristalino y amorfo. Las tarjetas también presentan la descripción general, la estructura interna y ejemplos de los dos tipos básicos de sólidos.

¡POR TU CUENTA!

Haz un modelo del agua para los tres estados de la materia. El título del modelo podría ser "Estados del agua", y los tres lados coloreados de la pirámide podrían llevar escrito uno de los tres estados de la materia: en el lado amarillo, "Sólido"; en el azul, "Líquido"; y en el verde, "Gaseoso". Prepara una tarjeta coloreada con un termómetro para cada estado, indicando el punto de congelación (la temperatura a la cual se congela una sustancia) del agua para el hielo, la temperatura ambiente para el agua líquida y el punto de ebullición (la temperatura a la cual un líquido se evapora por completo) para el vapor.

Puedes colgar dos tarjetas adicionales de cada lado de la pirámide. En una de ellas puedes escribir la descripción física del estado de la materia. En la otra tarjeta, usa dibujos, ilustraciones y/o listas de objetos que es común encontrar en ese estado de la materia. Por ejemplo, los sólidos podrían incluir un lápiz, un libro, una manzana, una piedra y el hielo. Los líquidos podrían incluir leche, refresco y agua. Para los gases, podrías hacer un dibujo del cielo y poner una lista de los gases que hay en el aire (nitrógeno, oxígeno, bióxido de carbono y vapor de agua).

BIBLIOGRAFÍA RECOMENDADA

Cutnell, John D., *Física*, México, Editorial Limusa.

Walker, Jearl D., *Física recreativa, La feria ambulante de la física*, México, Editorial Limusa.

VanCleave, Janice, *Química para niños y jóvenes*, México, Editorial Limusa.

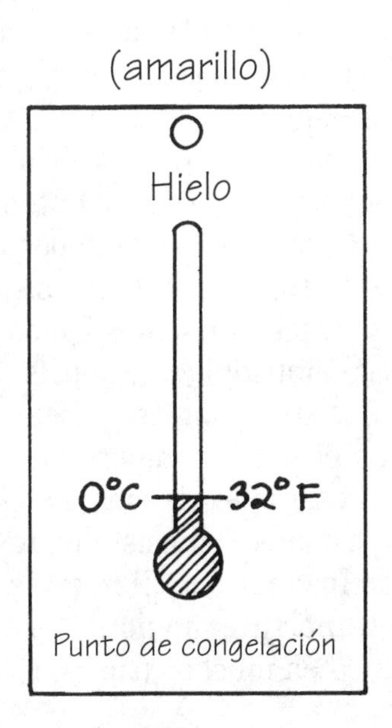

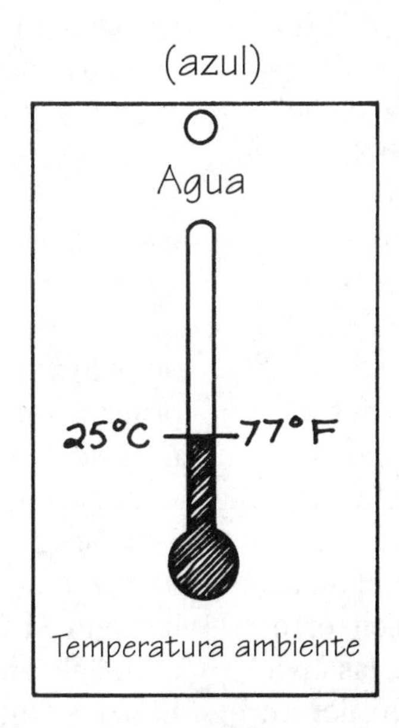

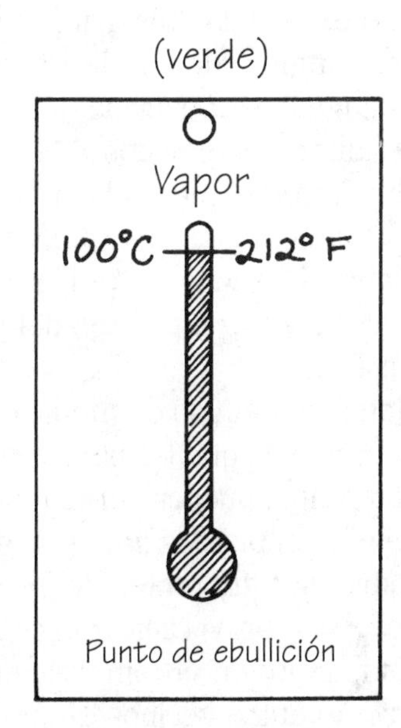

14

¿Cuánto?

¡Haz un modelo de las medidas métricas!

Las medidas son unidades estándares usadas para expresar cantidades específicas, como la longitud (la distancia de un punto a otro), el volumen y la masa. Los sistemas de medidas se desarrollaron gradualmente y fueron diferentes en civilizaciones diferentes. Contar puede considerarse como la forma más antigua de medición. En tiempos prehistóricos se usaban determinadas cantidades de diferentes productos para el comercio. Por ejemplo, un cordero podría haberse cambiado por 20 puñados de granos. Este sencillo sistema de trueque duró por miles de años.

Se cree que los primeros usos de la medición lineal tuvieron lugar entre los años 10000 y 8000 a.C. Estos sistemas primitivos tenían como base objetos naturales. Una de las unidades de longitud más antigua es el codo. Esta medida fue usada por egipcios, sumerios, babilonios y hebreos. Un **codo** es la distancia entre el codo y la punta del dedo medio. Una **cuarta** es la distancia entre la punta del pulgar y la punta del dedo meñique de una mano extendida. Los griegos introdujeron la medida de longitud de un **pie** (medida de longitud moderna igual a 12 pulgadas). La medida del pie solía dividirse en 16 dedos. Más tarde, los romanos dividieron el pie en 12 partes, llamadas *uncias*. El vocablo inglés *inch* (pulgada) proviene de esta palabra. El ancho del pulgar de un hombre era igual a 1 *uncia* y el largo del pie de un hombre era 1 pie.

El problema con el uso de medidas iguales a partes corporales es que las partes corporales de personas diferentes pueden ser de diferente tamaño. Así, el codo, el pie o la *uncia* medida por una persona podían ser diferentes de los que midiera otra persona. Esto provocaba gran confusión, errores y disputas tanto en el comercio entre las civilizaciones como entre vecinos en un mercado. En 1305, el rey Eduardo I de Inglaterra proclamó una orden real que estableció medidas estándares llamadas el **sistema imperial.** Hasta el siglo XIX, cada estándar imperial se hacía en una barra de hierro y se conservaba en Londres. A otras ciudades se enviaban copias de cobre o bronce. El sistema imperial británico se aplicó en las colonias de América y es el sistema del cual se derivó el actual sistema de pesos y medidas de Estados Unidos.

En 1791, científicos franceses midieron con la mayor precisión posible la distancia del Polo Norte al ecuador, y la dividieron en 10 millonésimas. A una de esas partes se le llamó **metro.** El **volumen** es la cantidad de espacio que ocupa un objeto. El **centímetro cúbico (cm^3)** es una unidad métrica de volumen común determinada al multiplicar el largo $\times$ ancho $\times$ alto medidos en centímetros. Un recipiente con dimensiones de $10 \times 10 \times 10$ centímetros tiene un volumen de 1000 cm^3, y se le llamó un **litro**. La masa de 1 cm^3 de agua se llamó un **gramo** (la unidad métrica básica de masa). La tabla que se muestra en la página 67 lista las unidades métricas comunes y sus prefijos.

En 1840, el sistema métrico se volvió obligatorio en Francia, y lo ha sido desde entonces. El uso del sistema métrico se extendió poco a poco a otros países de Europa. En 1866, el sistema métrico se volvió legal en Estados Unidos, pero no obligatorio. Sin embargo, en ese país se utiliza principalmente el sistema inglés, relacionado muy de cerca con el sistema imperial.

Los científicos usaron el sistema métrico hasta 1960, cuando se estableció un sistema revisado basado en el sistema métrico. El nuevo sistema, llamado **SI (Sistema Internacional)**, se usa en el trabajo científico en muchos países, incluyendo Estados Unidos.

Unidades métricas			
Prefijo	**Longitud**	**Volumen**	**Masa**
	Metro, m	**Litro, l**	**Gramo, g**
mili, m	1 mm (0.001 m)	1 ml (0.001 l)	1 mg (0.001 g)
centi, c	1 cm (0.01 m)	1 cl (0.01 l)	1 cg (0.01 g)
deci, d	1 dm (0.1 m)	1 dl (0.1 l)	1 dg (0.1 g)
kilo, k	1 km (1000 m)	1 kl (1000 l)	1 kg (1000 g)

ACTIVIDAD: LLENO HASTA EL TOPE

Objetivo

Hacer un modelo del volumen métrico de 1 litro.

Materiales

Regla
bolígrafo
pieza de cartulina blanca de 32 × 32 cm
tijeras
pegamento
charola para hornear
jarra para medir de 1000 ml
agua corriente

Procedimiento

1. Con la regla y el bolígrafo, dibuja un cuadrado de 30 × 30 cm en la cartulina. Marca las líneas punteadas y continuas que se muestran en el diagrama, dividiendo el cuadrado en nueve cuadrados de 10 × 10 cm. El cuadrado es el molde de una caja métrica. Marca el cuadrado como se muestra.

2. Con las tijeras, recorta el molde de la caja métrica.

3. Dobla la cartulina a lo largo de una de las líneas de doblez del molde y marca el doblez presionándolo con los dedos. Luego desdobla la cartulina y dobla de nuevo a lo largo de cada línea de doblez.

4. Ahora corta a lo largo de las líneas de doblez sólo donde está indicado.

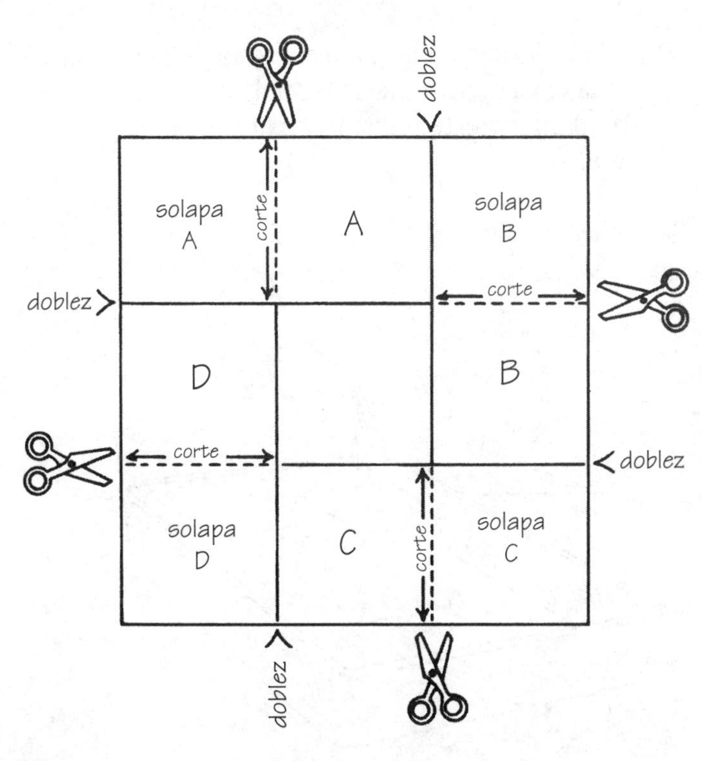

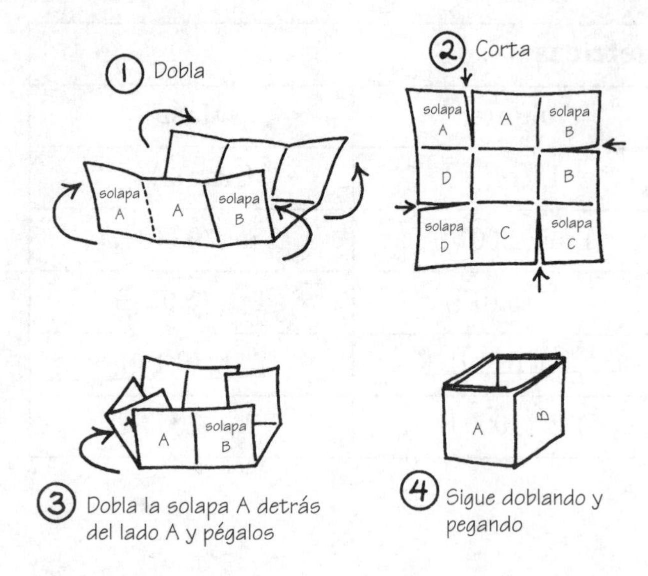

5. Pega la solapa A a la parte posterior del lado A. Luego pega la solapa B a la parte posterior del lado B. Sigue pegando las solapas a los lados hasta formar una caja.

6. En el interior de la caja, cubre las uniones con una línea delgada de pegamento.

7. Espera a que seque el pegamento.

8. Coloca la caja en la charola. Después llena con agua la jarra para medir hasta la marca de 1000 ml y vierte lentamente el agua en la caja.

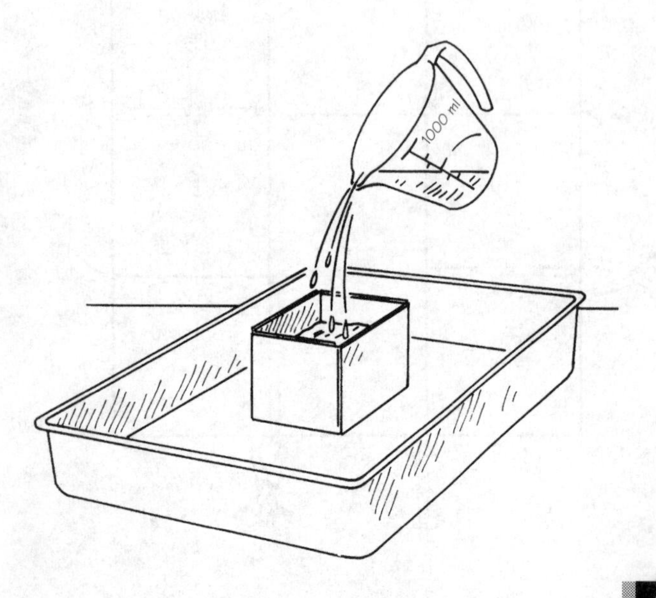

Resultados

Acabas de hacer una caja con un volumen de 1000 centímetros cúbicos. La caja contiene exactamente mil mililitros de agua.

¿Por qué?

El volumen de una caja se calcula multiplicando su largo × ancho × alto. La caja que hiciste mide 10 centímetros en cada lado, de manera que su volumen es de 1000 centímetros cúbicos o cm^3 (10 cm × 10 cm × 10 cm). El volumen también se mide en litros o partes de litros. Un mililitro (ml) es el mismo volumen que 1 cm^3. Esto significa que 1000 cm^3 es lo mismo que 1000 ml. Como 1000 ml es igual a 1 litro, con tu caja has demostrado que 1000 cm^3 = 1 litro.

¡POR TU CUENTA!

Puedes presentar tu caja métrica al frente de un exhibidor de tres secciones. Las hojas de información sobre las tres mediciones usuales de longitud, volumen y masa se pueden enmarcar y pegar en este exhibidor. (Consulta en el apéndice 1 las instrucciones para hacer un exhibidor de tres secciones y en el apéndice 6 las instrucciones sobre enmarcado.) El título de tu presentación puede ser "Medidas métricas". Puesto que la caja métrica modela un volumen, agrega información sobre el volumen en la sección central del exhibidor y coloca la caja sobre la mesa enfrente de esta sección. En una sección lateral, pon información sobre la longitud y en la otra sobre la masa. Los diagramas y la información sobre cada medida pueden incluir:

- **Longitud**: da una definición de longitud y menciona el hecho de que la unidad métrica básica de longitud es el metro (m). Muestra una regla métrica o un metro enfrente de esta sección del exhibidor.

- **Volumen**: da una definición de volumen y explica que las dos unidades métricas usuales de volumen son el centímetro cúbico (cm^3) y el litro (l). Señala que un volumen medido en centímetros cúbicos se determina multiplicando largo × ancho × alto medidos en centímetros. Indica que $1000 \text{ cm}^3 = 1 \text{ l}$. Muestra tu caja métrica como un ejemplo de volumen.

- **Masa**: ofrece información sobre la comparación entre peso y masa. Por ejemplo, el **peso** de un objeto es la medida de la fuerza de **gravedad** (la fuerza de atracción entre objetos debida a su masa), mientras que su masa depende de la cantidad de materia de la que se compone. La unidad métrica básica de masa es el gramo (g) y la unidad métrica básica de peso es el **newton** (N). Una **balanza** es un instrumento usado para medir la masa comparando una masa con otra. Muestra una balanza, o una tarjeta parada con la ilustración de una balanza, que mida en gramos enfrente de esta sección del exhibidor. Los catálogos de material científico tienen ilustraciones de balanzas que puedes fotocopiar.

BIBLIOGRAFÍA RECOMENDADA

Perelman, Yakov, *Matemáticas recreativas*, México, Editorial Martínez Roca.

VanCleave, Janice, *Matemáticas para niños y jóvenes*, México, Editorial Limusa.

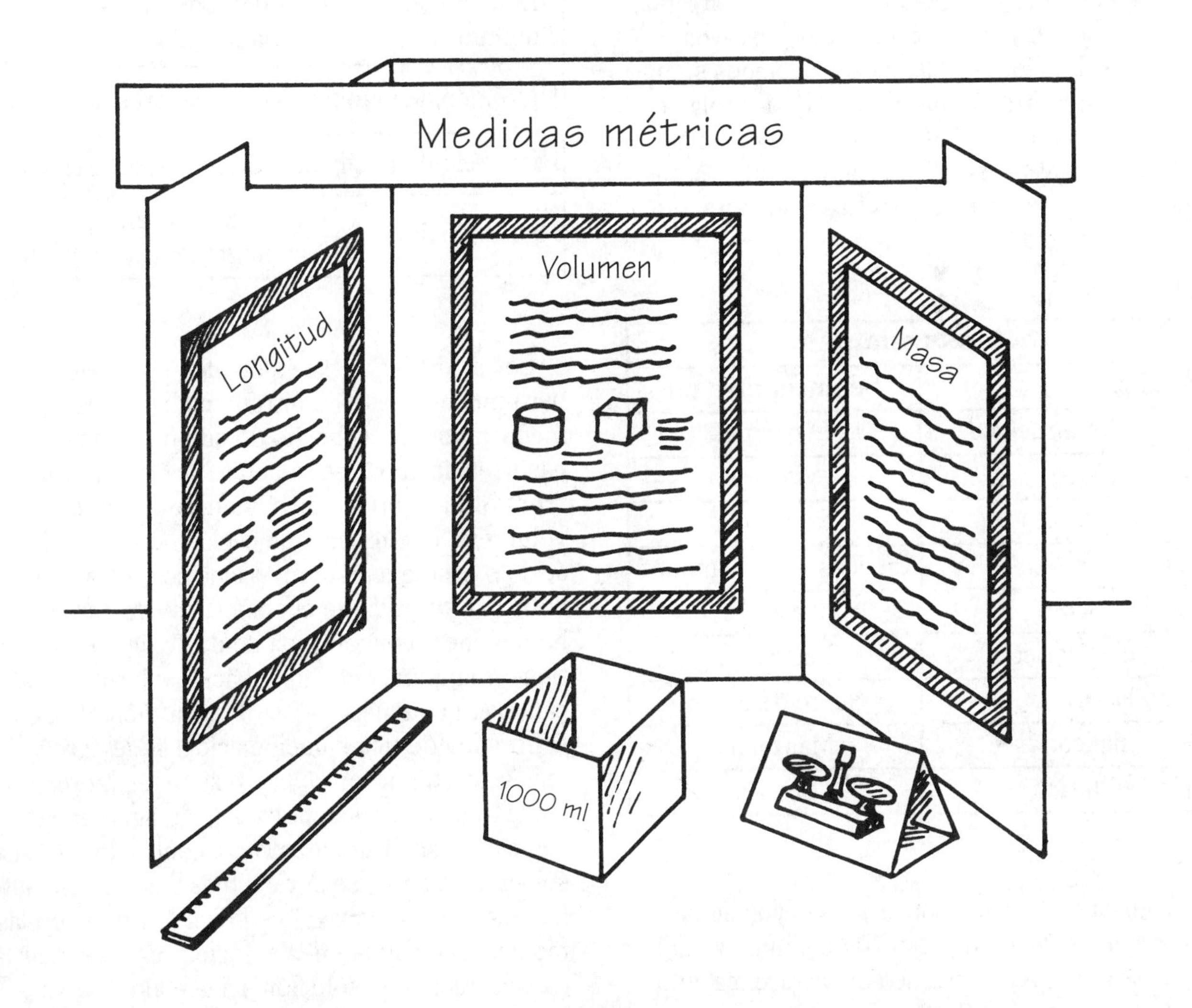

15

¿Más o menos?

¡Haz un modelo de ácidos y bases!

Los ácidos y las bases son dos tipos diferentes de sustancias químicas. Los **ácidos** contienen hidrógeno. Cuando un ácido se combina con agua, se descompone en iones positivos y negativos. El ion positivo siempre es un ion hidrógeno, H^+. Los iones hidrógeno se combinan rápidamente con las moléculas de agua, produciendo **iones hidronio** (H_3O^+). Las **bases**, también llamadas **álcalis**, contienen oxígeno e hidrógeno. En agua, las bases se descomponen en iones positivos y negativos. Los iones negativos producidos siempre son **iones hidróxido** (OH^{-1}). En la tabla se muestran algunos ácidos comunes. Algunos ácidos se encuentran en alimentos y bebidas, como limones, vinagre y refrescos. Los ácidos tienen un sabor acidulado.

Ácidos comunes	
Nombre	**Se encuentra en**
Ácido acetilsalicílico	Aspirina
Ácido acético	Vinagre
Ácido carbónico	Refrescos
Ácido cítrico	Cítricos, como limones
Ácido bórico	Lavaojos
Ácido clorhídrico	Estómago
Ácido láctico	Suero de leche
Ácido málico	Manzanas
Ácido sulfúrico	Batería

Las bases pueden disolver grasas y aceites, por lo que se usan en productos de limpieza del hogar. Algunas bases pueden disolver el cabello, de ahí su utilidad para destapar desagües tapados en los baños. La tabla siguiente presenta algunas bases comunes y su uso.

Bases comunes	
Nombre	**Se encuentra en**
Hidróxido de aluminio	Desodorantes, antiácidos
Hidróxido de amonio	Limpiadores del hogar
Hidróxido de magnesio	Laxantes, antiácidos
Hidróxido de sodio	Destapa caños, ingrediente del jabón

Los ácidos y las bases pueden ser tóxicos, pero muchos se encuentran en alimentos y medicamentos. El hecho de que un ácido o una base sea dañino o no depende de su **concentración** (la cantidad de sustancia por unidad de volumen), que es una indicación de la cantidad de ácido o base que está mezclada con agua. Una **solución** (mezcla de sustancias perfectamente homogénea) concentrada de un ácido o una base tiene una gran cantidad del ácido o base y una cantidad pequeña de agua. Para aumentar la concentración de una solución ácida, se le agrega más ácido y, por tanto, hay más iones hidronio en comparación con las moléculas de agua en la solución. Para aumentar la concentración de una solución alcalina, se agrega más base y, por tanto, hay más iones hidróxido en comparación con las moléculas de agua en la solución. Para reducir la concentración, la solución ácida o alcalina se

SOLUCIONES ÁCIDAS

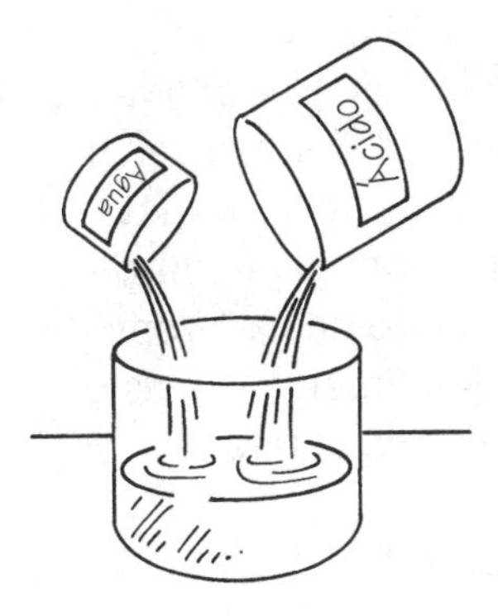

Concentrado
(pequeña cantidad de agua
+
gran cantidad de ácido)

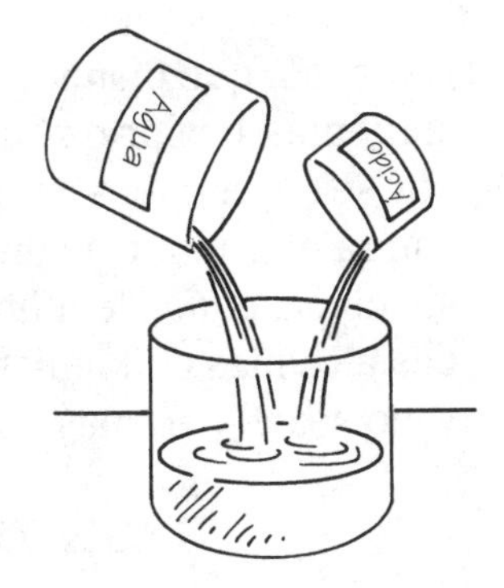

Diluido
(gran cantidad de agua
+
pequeña cantidad de ácido

diluye, lo que significa que se le agrega agua. En una solución ácida o alcalina diluida, hay una gran cantidad de moléculas de agua en comparación con los iones hidronio u hidróxido que contiene la solución.

La escala especial para medir la naturaleza ácida o alcalina de una sustancia se llama **escala del pH.** Los valores de la escala del pH van del 0 al 14, siendo el 7 **neutro** (sin propiedades ácidas ni alcalinas). El pH del agua es 7. El pH de los ácidos es menor que 7, y el de las bases mayor que 7. El pH de una solución se puede determinar con un instrumento llamado medidor de pH, o con el uso de un **indicador** (una sustancia química que cambia de color en un ácido o en una base). Por ejemplo, el papel tornasol azul se vuelve rojo en una solución ácida, y el papel tornasol rojo se vuelve azul en una solución alcalina.

ACTIVIDAD: ALTA Y BAJA

Objetivo

Hacer el modelo de una escala del pH.

Materiales

marcador negro de punta fina
pieza de cartulina blanca de 35 × 60 cm (14 × 24 pulgadas)
metro
bolígrafo
crayolas (opcionales)
tijeras

Procedimiento

1. Con el marcador y el metro, traza una línea de arriba abajo y a 7.5 cm (3 pulgadas) de uno de los bordes largos de la cartulina.
2. Con la línea vertical a la izquierda, traza 15 líneas horizontales con una separación de 3.75 cm (1 1/2 pulgadas) empezando en la línea vertical.
3. Empezando en la segunda línea horizontal, numera las líneas del 1 al 14, como se muestra en la figura de la página 72.
4. Escribe con el marcador el título "Escala del pH" en la parte superior de la cartulina.
5. Escribe con el marcador "Neutro", "Concentración ácida" y "Concentración alcalina", y traza las flechas, como se muestra en la figura citada.
6. Dibuja y colorea los productos de la tabla "Valor del pH de algunos productos comunes", o recorta reproducciones de ellos de revistas.
7. Usa elevadores para fijar los dibujos de cada producto en la cartulina en el pH correcto. (Consulta en el apéndice 8 las instrucciones para hacer elevadores.) Acomoda los productos a fin de que se distribuyan de manera regular en tu modelo de la escala del pH.

elevador

Resultados

Acabas de hacer el modelo de una escala del pH mostrando algunos productos comunes y su valor de pH.

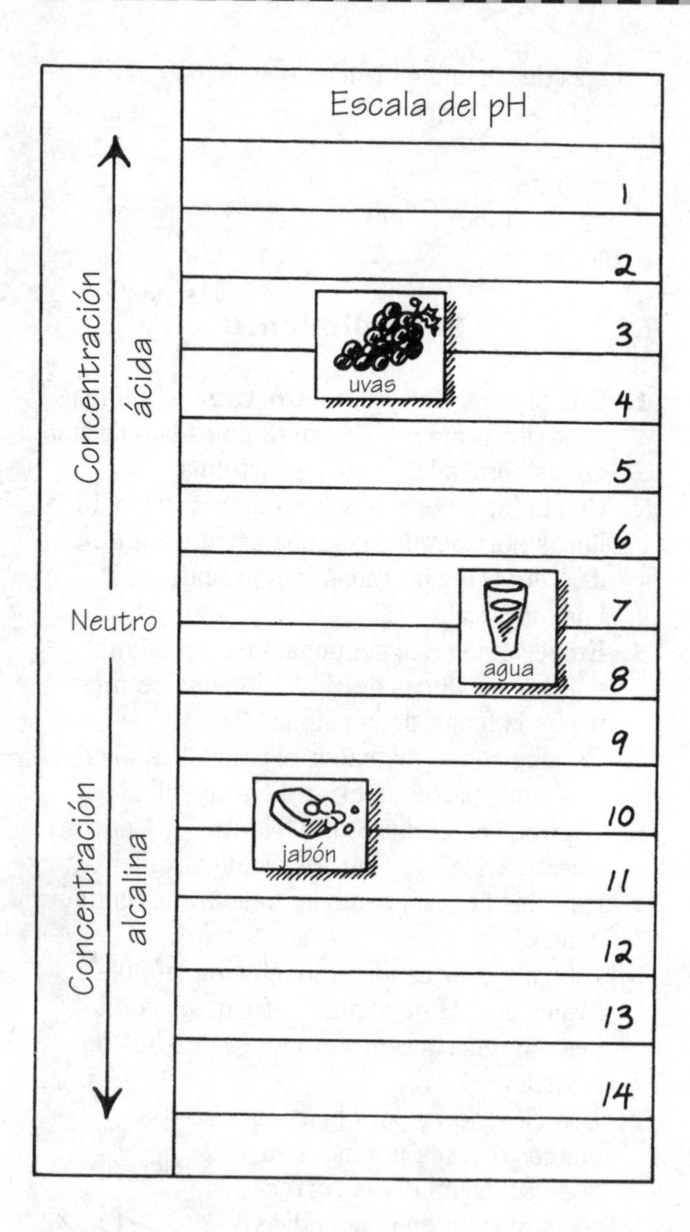

pH de productos comunes			
Nombre	**pH**	**Nombre**	**pH**
Ácido gástrico	1	Agua	7
Limón	2	Huevos	8
Uvas	3	Levadura en polvo	9
Tomate	4	Jabón	10
Plátano	5	Amoniaco	12
Leche	6	Lejía	14

¿Por qué?

A medida que disminuye el pH de una sustancia, aumenta el valor de su acidez. Así, mientras menor sea el número del pH, más concentrado estará el ácido. Un aumento en el pH de una sustancia equivale a un aumento de las propiedades alcalinas de la misma. Así, mientras más elevado sea el pH, más concentrada estará la base.

¡POR TU CUENTA!

Prepara hojas de información para los dos tipos de sustancias químicas: ácidos y bases. Por ejemplo, en una hoja pon el título "Ácido". Define el término *ácido*, y ofrece ejemplos de ácidos fuertes y débiles. Los ácidos y las bases se pueden clasificar como fuertes y débiles dependiendo de qué tan fácilmente se descomponen cuando se ponen en agua. En general, un ácido o una base fuertes se descomponen por completo en iones cuando se ponen en agua. Por tanto, un ácido fuerte en agua tiene más iones hidronio que un ácido débil. Una base fuerte en agua tiene más iones hidróxido que una base débil. Incluye información sobre el pH de los ácidos y de cómo se puede descubrir la presencia de ácidos. Prepara una hoja similar para las bases. Estas hojas se pueden enmarcar y mostrar en un exhibidor de tres secciones. El modelo del pH se puede fijar en la sección central del exhibidor y la información sobre los ácidos y las bases en las secciones laterales. Consulta en el apéndice 1 las instrucciones para hacer un exhibidor de tres secciones con una tira para el título, y en el apéndice 6 las instrucciones para el enmarcado.

BIBLIOGRAFÍA RECOMENDADA

VanCleave, Janice, *Alimentos y nutrición para niños y jóvenes*, México, Editorial Limusa.
VanCleave, Janice, *Química para niños y jóvenes*, México, Editorial Limusa.

IV

CIENCIAS DE LA TIERRA

16

Cambiantes

¡Haz un modelo de las estaciones!

La latitud es la distancia en grados norte o sur del ecuador. El ecuador es una línea imaginaria que rodea la Tierra a la latitud 0° y la divide en las mitades norte y sur. Las **zonas templadas** son las dos regiones situadas entre las latitudes 23.5° y 66.5° norte y sur del ecuador. En estas zonas las temperaturas anuales promedian entre –25 °C y 38 °C (–13 °F y 100 °F). Este cambio en la temperatura se debe a la posición de la Tierra en el curso de su órbita (la trayectoria curva de un cuerpo alrededor de otro) alrededor del Sol, lo cual da lugar a las **estaciones climáticas** (las divisiones del año basadas en los cambios de temperatura). En la mayor parte de la zona templada, hay cuatro estaciones climáticas definidas: primavera, verano, otoño e invierno. Cada estación dura unos tres meses y tiene condiciones climáticas diferentes. Durante la **primavera**, los días son templados y las noches frescas. Después viene el **verano**, con días calurosos y noches templadas. En el **otoño**, los días y las noches van refrescando y son similares a los de la primavera. Por último, en el **invierno** los días y noches son fríos.

Las estaciones climáticas son el resultado de los cambios en la cantidad de luz solar que llega a una zona de la Tierra, los cuales afectan la temperatura. Los rayos solares directos son perpendiculares a la superficie de la Tierra, lo que significa que forman un ángulo de 90° con la superficie. Los rayos directos proporcionan la concentración más alta de luz en una zona. Por ejemplo, si sostienes una lámpara de mano perpendicular a una hoja de papel, la luz directa forma un círculo de luz brillante en el papel. Si el papel se inclina, el círculo de luz se extiende en forma ovalada y cubre una superficie mayor del papel. Aun cuando la cantidad de luz que incide en el papel es la misma, la luz ovalada es más tenue porque se dispersa sobre un área mayor.

La cantidad de luz solar que llega a un área de la Tierra depende de la posición de la Tierra en relación con el Sol. Puesto que el eje de la Tierra tiene una inclinación aproximada de $23^{1}/_{2}$° con respecto a su órbita alrededor del Sol, los polos de la Tierra se inclinan en dirección al Sol durante parte del año y en la dirección opuesta durante otra parte del año. En el Hemisferio Norte, el **solsticio de verano** (el primer día del verano) tiene lugar cuando el Polo Norte se inclina hacia el Sol, lo que ocurre el 21 de junio, o un día cercano, como se indica en la posición A del diagrama. En ese día, los rayos solares caen

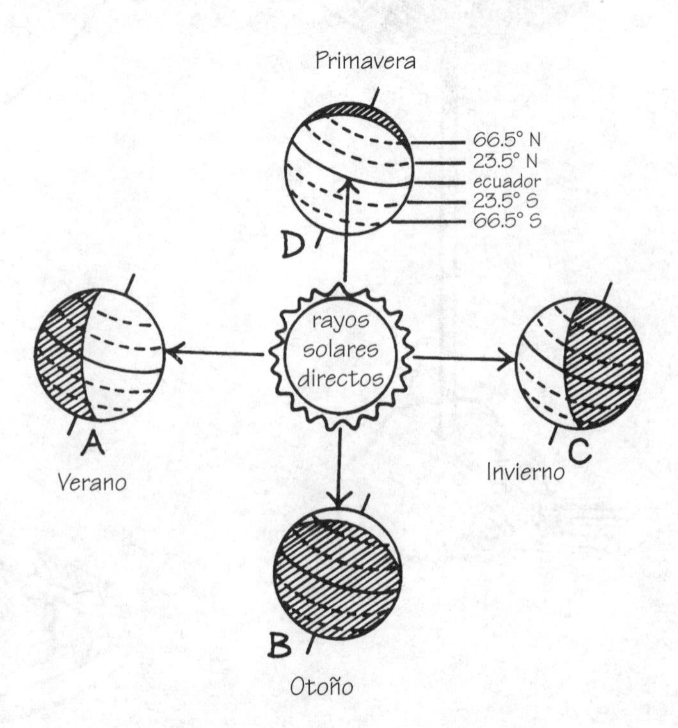

Estaciones en el Hemisferio Norte

directamente sobre el Trópico de Cáncer y, por tanto, la trayectoria aparente del Sol en el cielo se encuentra en su punto más alto en las regiones del Hemisferio Norte. Mientras más alta es la trayectoria del Sol, más directos son sus rayos y los días son más largos.

A medida que la Tierra se mueve en su órbita de la posición A a la B, la trayectoria del Sol se vuelve más baja en el cielo y los días se acortan. Aproximadamente el día 23 de septiembre, en el **equinoccio de otoño** (el primer día del otoño), ninguno de los polos está inclinado hacia el Sol. Ese día, los rayos solares se dirigen directamente al ecuador y, debido a la forma curva de la Tierra, a medida que uno se aleja del ecuador, el ángulo de los rayos solares aumenta y su mayor ángulo está en los polos. Así, aun cuando en esa fecha todos los lugares de la Tierra tienen el mismo número de horas de día y de noche, hace más calor en el ecuador y más frío en los polos.

Al seguir su órbita, la Tierra pasa de la posición B a la C. Durante este tiempo, el Polo Norte se aleja más del Sol cada día, y la trayectoria del Sol en el cielo va bajando a medida que los días se acortan en el Hemisferio Norte. Aproximadamente el 22 de diciembre tiene lugar el **solsticio de invierno** (el primer día del invierno) y los rayos del Sol inciden más directamente en el Trópico de Capricornio. En el Hemisferio Norte, la trayectoria del Sol es la más baja en el cielo y es el día más corto del año.

Mientras la Tierra pasa de la posición C a la D, la trayectoria del Sol se va elevando en el cielo un poco más cada día. Aproximadamente el 21 de marzo, el **equinoccio de primavera** (el primer día de la primavera), como en el equinoccio de otoño, ninguno de los polos está inclinado hacia el Sol. De nueva cuenta, todos los lugares de la Tierra tienen 12 horas de luz diurna. A medida que la Tierra sigue su camino, cada día el recorrido del Sol es más alto y los días más largos en el Hemisferio Norte. Aproximadamente el 21 de junio, la Tierra regresa a la posición A, completando así su órbita anual alrededor del Sol, y se encamina de nuevo hacia la posición B.

ACTIVIDAD: MITAD Y MITAD

Objetivo

Hacer un modelo de las posiciones de la Tierra y del Sol durante el solsticio de verano.

Materiales

- dos brochetas de bambú de 30 cm (12 pulgadas)
- bola de unicel de 10 cm (4 pulgadas) de diámetro
- bola de unicel de 15 cm (6 pulgadas) de diámetro
- pedazo de plastilina del tamaño de un limón
- pincel
- pinturas acrílicas amarilla y negra
- marcador negro
- metro
- lápiz
- pieza de cartulina blanca de 55 × 55 cm (22 × 22 pulgadas)
- transportador

Procedimiento

1. Inserta con cuidado una brocheta de bambú en el centro de cada bola de unicel.
2. Divide la plastilina a la mitad y haz una bola con cada pedazo. Con una bola, haz un soporte apretándola contra una mesa. Después clava en el soporte de plastilina el extremo puntiagudo de la brocheta insertada en la bola grande. Repite este paso con el otro pedazo de plastilina y la brocheta insertada en la bola pequeña.
3. Con el pincel, pinta de amarillo la bola grande. Éste es tu modelo del Sol.
4. Con la brocheta que atraviesa la bola pequeña en posición vertical, usa el marcador para trazar una línea alrededor entre la parte superior y la inferior de la bola. Esta línea representa el ecuador de la Tierra.
5. Traza una segunda línea alrededor de la bola empezando a 1 cm a la izquierda de la brocheta

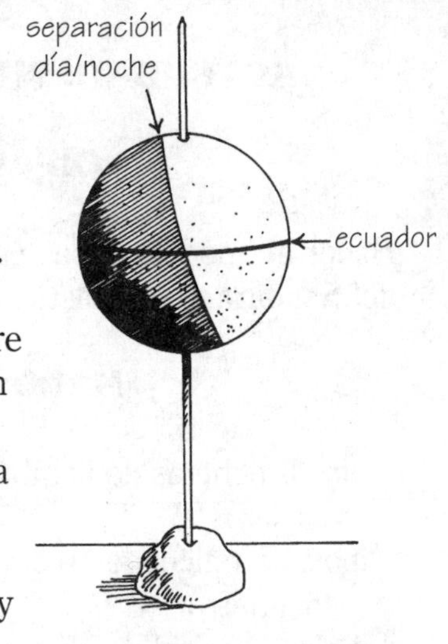

en la parte superior y terminando a 1 cm a la derecha de la brocheta en la parte inferior. Esta línea representa el límite entre el día y la noche en la Tierra.

6. Con el pincel, pinta de negro el lado izquierdo del límite entre el día y la noche, como se muestra en la figura. Éste es tu modelo de la Tierra.

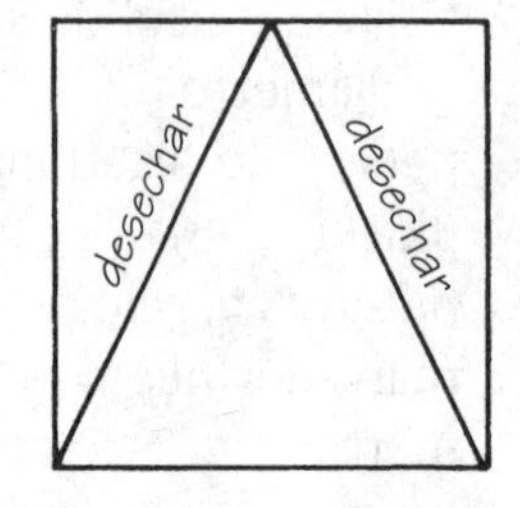

7. Con el metro y el lápiz, traza dos líneas en la cartulina desde dos esquinas adyacentes hasta el centro del lado opuesto, como se muestra en la figura. Corta a lo largo de las líneas y conserva el triángulo grande del centro.
8. Con el marcador, escribe el título "Solsticio de verano: Hemisferio Norte" en la cartulina. Abajo del título, traza un diagrama de la posición de la Tierra en su órbita alrededor del Sol, como se muestra en la figura.
9. Coloca el modelo de la Tierra a unos 7.5 cm (3 pulgadas) de la esquina izquierda del triángulo de cartulina. Acomoda el transportador en el soporte de plastilina con la brocheta alineada con los 90° del transportador. Después, inclina la brocheta $23\frac{1}{2}°$ a la derecha.
10. Coloca el modelo del Sol a la derecha del modelo de la Tierra, a unos 7.5 cm (3 pulgadas) de la esquina derecha del triángulo de cartulina.

Resultados

Acabas de hacer un modelo del solsticio de verano en el Hemisferio Norte.

¿Por qué?

Debido a que durante el solsticio de verano el eje de la Tierra está inclinado en relación con el Sol, los rayos solares caen directamente en el Trópico de Cáncer. Cuando la Tierra gira, el Hemisferio Norte recibe luz durante más tiempo. El resultado es el día más largo del año.

¡POR TU CUENTA!

Diseña un **diorama** (escena tridimensional en miniatura con figuras colocadas enfrente de un fondo pintado) que muestre las características del verano. El fondo del exhibidor puede ser una pirámide hecha con una pieza cuadrada de cartulina blanca de 55 × 55 cm (22 × 22 pulgadas). (Consulta en el apéndice 9 las instrucciones para hacer una pirámide.) Apoya la pirámide sobre uno de sus lados de manera que un triángulo sea el piso y los otros dos triángulos sean los lados del exhibidor. Coloca el modelo del solsticio de verano en el piso del exhibidor. Agrega dibujos que representen la estación de verano en un lado del exhibidor. Incluye árboles con hojas verdes, actividades como natación y personas vestidas con ropa veraniega. Del otro lado, pega una hoja de datos con el horario de la salida y la puesta del Sol durante una semana de verano.

BIBLIOGRAFÍA RECOMENDADA

VanCleave, Janice, *Científico de tiempo completo. Experimentos científicos para explorar los biomas y ecosistemas de polo a polo*, México, Editorial Limusa.

VanCleave, Janice, *Enseña la ciencia de forma divertida*, México, Editorial Limusa.

VanCleave, Janice, *Geografía para niños y jóvenes*, México, Editorial Limusa.

17

Capas

¡Haz un modelo de los estratos de la Tierra!

En la superficie de la Tierra existen sustancias químicas diferentes a las encontradas a ciertas profundidades. Por tanto, la Tierra puede describirse como una sucesión de capas con distinta composición química. La Tierra se compone de tres estratos principales: el núcleo, el manto y la corteza. El **núcleo** es el estrato central, que se cree está compuesto principalmente de hierro. El núcleo se divide en dos capas: el **núcleo interior** y el **núcleo exterior**. Ambas capas tienen un espesor aproximado de 3400 km (2125 millas).

El **manto** es el estrato intermedio y el más extenso, ya que su espesor alcanza los 2900 km (1812 millas). Las sustancias químicas más abundantes en esta capa son los **silicatos**, compuestos de silicio y oxígeno combinados con otros elementos. Los silicatos de esta capa se combinan principalmente con los elementos hierro y magnesio.

El estrato exterior de la Tierra es la **corteza**. La corteza es muy delgada en comparación con los otros dos estratos. Su espesor es de unos 70 km (44 millas) en algunas regiones montañosas y menor en promedio de 8 km (5 millas) bajo el océano. Lo mismo que el manto, la corteza contiene grandes cantidades de silicatos, pero combinados sobre todo con aluminio, hierro y magnesio.

La Tierra también puede dividirse en capas de acuerdo con los estados físicos (sólidos y líquidos). Las capas de la Tierra consisten en lo principal de material sólido, aunque en las profundidades de la Tierra la temperatura es lo suficientemente elevada para fundir las sustancias que constituyen este material. Esto se debe a las grandes presiones que imperan en el interior de la Tierra. Al aumentar la profundidad, la temperatura y la presión también se incrementan. Por ejemplo, en la superficie, algunas partes de la corteza de la Tierra tienen una temperatura de 0 °C (32 °F) y una presión cercana a 1 atmósfera (14.7 libras/pulgada^2), mientras que en el núcleo de la Tierra se cree que la temperatura alcanza los 5500 °C (9932 °F), con una presión de 3,600,000 atmósferas (52,920,000 libras/pulgada^2). En la superficie de la Tierra, con una presión de 1 atmósfera (14.7 libras/pulgada^2), el hierro se funde a una temperatura de 1538 °C (2800 °F), pero a la elevada presión del núcleo interior, el punto de fusión del hierro es de 6400 °C (11,552 °F). Por tanto, en la superficie de la Tierra el hierro es sólido y lo es también en el núcleo interior. El equilibrio entre temperatura y presión varía de acuerdo con la profundidad dentro de la Tierra. Con base en este equilibrio, la Tierra tiene cinco estratos distintos. Algunos son sólidos, otros líquidos, mientras otros más se encuentran en un estado intermedio.

- **Núcleo interior:** la capa sólida interior del núcleo de la Tierra y la región de mayor presión y temperatura. El diámetro de esta región es de unos 1200 km (750 millas).
- **Núcleo exterior:** la capa líquida del núcleo externo de la Tierra, donde la temperatura es elevada y la presión no es lo suficientemente intensa para hacer esta capa sólida. Como la Tierra gira, esta capa interior líquida tiene un movimiento circular. Se cree que este movimiento del hierro y el níquel fundidos es la causa de que la Tierra tenga un campo magnético. El espesor de esta capa es de unos 2200 km (1375 millas).
- **Mesosfera:** capa sólida que empieza en el límite del núcleo exterior y que constituye la mayor parte del manto. A esta profundidad, la temperatura no es lo bastante elevada para

superar la enorme presión, por lo que la mesosfera es sólida. El espesor de esta capa es de alrededor de 2620 km (1638 millas).

- **Astenosfera:** capa semisólida de la Tierra que constituye la parte superior del manto. En esta capa, el equilibrio entre la temperatura y la presión reblandece los materiales, pero sin hacerlos líquidos. Más bien, los materiales se encuentran en un estado semisólido, intermedio entre una fase líquida y una sólida. Esta condición se llama **plasticidad**. El espesor de esta capa es de unos 250 km (156 millas).
- **Litosfera:** la capa sólida exterior de la Tierra, que es la capa menos caliente y con menor presión. Incluye la corteza terrestre y una pequeña porción de la capa superior del manto. Su espesor es variable, pero mide en promedio 100 km (62.5 millas). Esta capa sólida flota sobre la astenosfera semisólida.

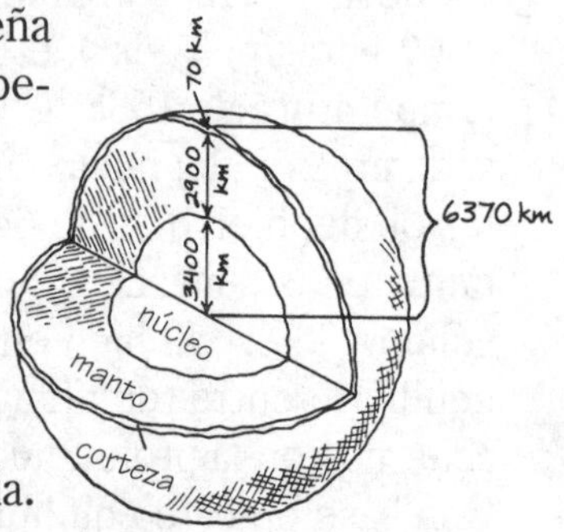

ACTIVIDAD: DE ADENTRO HACIA AFUERA

Objetivo

Hacer un modelo a escala de las tres capas de la Tierra con base en su composición química.

Materiales

compás
regla
cuadrado de cartón de 30 cm (12 pulgadas)
cuadrado de cartón corrugado de 30 cm (12 pulgadas)
pegamento
3 trozos de plastilina del tamaño de una manzana: 1 amarillo, 1 rojo y 1 azul
1 palillo redondo para dientes
trozo de cordel de 15 cm (6 pulgadas)
tijeras
1 tarjeta de archivo blanca sin rayas de 15 × 22.5 cm (6 × 9 pulgadas)
marcador negro de punta fina

Procedimiento

1. Con el compás, traza un círculo de 13.6 cm de diámetro en el centro del cartón.
2. Traza un segundo círculo de 25.2 cm de diámetro alrededor del primero. La circunferencia de este círculo estará a 5.8 cm de la circunferencia del círculo interior. Pega este pedazo de cartón sobre el cartón corrugado.
3. Llena el círculo interior con plastilina amarilla y el círculo exterior con plastilina roja.
4. Con la plastilina azul, modela un contorno lo más delgado posible alrededor del círculo de plastilina roja.
5. Rompe el palillo para dientes a la mitad. Deshazte de una parte e inserta la otra en el centro del círculo de plastilina amarilla con la punta hacia arriba.
6. Coloca el cordel sobre tu modelo de plastilina desde el borde azul hasta el centro, como se muestra en el dibujo. Con las tijeras, corta el cordel que sobresale del borde azul.
7. Con la tarjeta de archivo, prepara un pequeño atril con la leyenda. Para hacerlo, dobla la tarjeta a la mitad juntando los lados angostos. Escribe el texto en un lado de la tarjeta, indicando el nombre del color y la profundidad de cada capa de la Tierra que aparece en la tabla Estratos de la Tierra. La leyenda también debe incluir el radio de la Tierra. Usa círculos de color para representar el color de cada

Estratos de la Tierra		
Estrato		**Profundidad en km (millas)**
Color	*Nombre*	
Amarillo	Núcleo	3400 (2129.5)
Rojo	Manto	2900 (1812)
Azul	Corteza	70 (44)

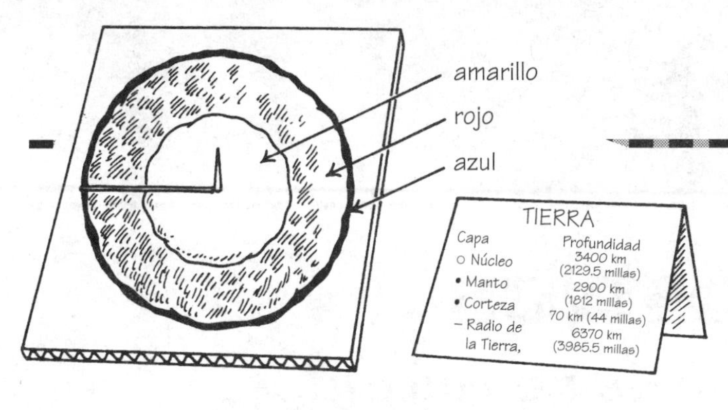

capa y pega un pedazo de cordel a la tarjeta para indicar el radio de la Tierra, que es de unos 6370 km (3985.5 millas).

Resultados

Acabas de hacer un modelo de los estratos de la Tierra.

¿Por qué?

Un **modelo a escala** es una réplica hecha en proporción con el objeto que representa. La **escala** es la razón entre las medidas de un diagrama o modelo y las medidas reales de un objeto. En una escala proporcional, aparece en primer término la medida del dibujo o del modelo. Si el primer número de la razón es el menor, el dibujo o el modelo a escala es una reducción, como en el caso de 1 cm/500 km de esta actividad. (Consulta en el apéndice 10 la información sobre cómo calcular una escala.)

Las tres capas de plastilina representan los tres estratos del interior de la Tierra tal como se distinguen por su composición. La capa interior amarilla representa el núcleo de la Tierra, cuyo componente principal es el hierro. Con una escala de 1 cm igual a 500 km (312.5 millas), el diámetro de 13.6 cm de la capa amarilla representa 6800 km (4259 millas), que es el diámetro promedio del núcleo de la Tierra.

Alrededor del núcleo está el manto, el cual se compone de silicatos combinados con hierro y magnesio. El espesor de esta capa es de unos 2900 km (1812 millas), por lo que el ancho de la plastilina roja que representa esta capa es de 5.8 cm.

La corteza externa de la Tierra se compone principalmente de silicatos combinados con aluminio, hierro y magnesio. El espesor de esta delgada capa externa varía entre 8 y 70 km (5 y 44 millas). En nuestra escala, esto significa que la banda de plastilina azul alrededor del modelo que representa la corteza debe tener un ancho que varía entre 0.016 cm y 0.14 cm.

El palillo para dientes representa el eje de la Tierra y el cordel indica el radio de la Tierra, que mide unos 6370 km (3985.5 millas).

¡POR TU CUENTA!

Para acompañar el modelo de las tres capas químicas de la Tierra, prepara un libro con separaciones que muestre la Tierra dividida en cinco capas con base en su estado físico (sólido, líquido o intermedio). Consulta en el apéndice 2 las instrucciones para hacer un libro con seis separaciones. Dibuja un triángulo desde abajo sobre las separaciones y marca cada separación como se indica en la figura. Dentro del triángulo, haz un trazo en el borde de cada separación.

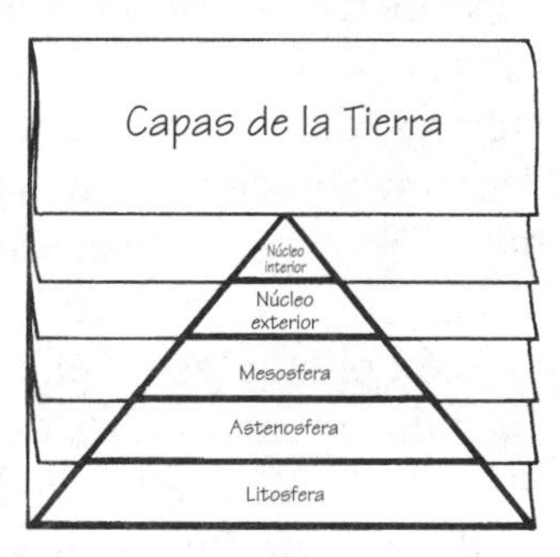

Levanta cada hoja y escribe la descripción de la capa representada. Si es necesario, retoca la punta del triángulo. Incluye también un arco que muestre un corte de la Tierra con el diámetro del estrato.

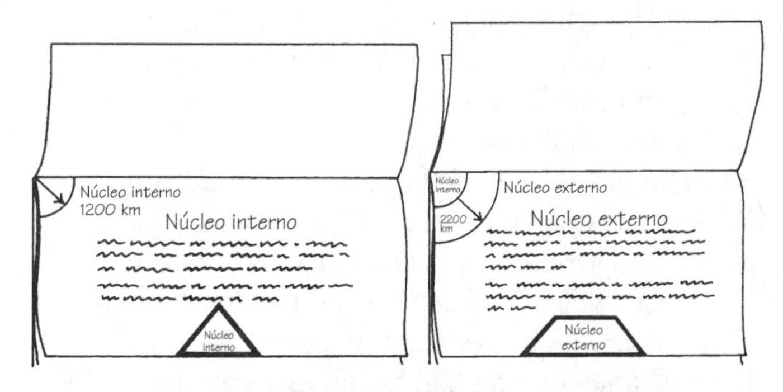

BIBLIOGRAFÍA RECOMENDADA

CONACYT, *Al descubrimiento de la ciencia*, México, Editorial Limusa.

Longwell, Chester R., *Geología física*, México, Editorial Limusa.

VanCleave, Janice, *Ciencias de la Tierra para niños y jóvenes*, México, Editorial Limusa.

18

Explosivos

¡Haz el modelo de un volcán!

Un **volcán** es una montaña o colina formada por la acumulación de materiales arrojados por una erupción a través de una o más aberturas en la superficie de la Tierra. Las aberturas en forma de tubos que comunican el **cráter** (la depresión en su cima) del volcán con la **cámara de magma** (la acumulación de roca fundida en las profundidades de la Tierra) se llaman **chimeneas volcánicas**.

Los volcanes se forman debido al calor y la presión presentes en el interior de la Tierra. Cuando la temperatura es lo suficientemente elevada, la roca se funde. Esta roca fundida, llamada **magma**, tiene una densidad menor que la roca sólida que la rodea. La **densidad** es una medida de la masa o peso de un volumen dado de material. Como el magma es menos denso, sube lentamente hacia la superficie de la Tierra. El magma que llega a la superficie de la Tierra a través de chimeneas se llama **lava**. Una **erupción volcánica** tiene lugar cuando lava, ceniza, detritos y/o gases son expulsados del volcán. Algunas erupciones son muy explosivas, mientras que otras son derrames relativamente tranquilos de lava o gases.

Algunos volcanes de la Tierra están **activos** (hicieron erupción en el curso del último siglo), pero la mayor parte de ellos permanecen **inactivos.** Los volcanes inactivos no han hecho erupción en cientos de años, pero podrían hacerlo. Los volcanes que no han hecho erupción en miles de años se consideran **extintos**, y lo más probable es que nunca se vuelvan activos. Actualmente, hay en todo el mundo más de 5 mil volcanes activos en el fondo del mar y más de 800 volcanes activos en tierra firme.

Diferentes tipos de erupción producen diferentes tipos de volcanes. Las erupciones explosivas proyectan lava a gran altura en el aire. La lava se enfría y solidifica para formar diversos tipos de material volcánico llamados **tefra** (lava expulsada al aire por una erupción volcánica violenta, que se solidifica cuando va cayendo al suelo). La tefra es de varios tamaños, incluyendo ceniza, escoria y grandes rocas llamadas **bombas volcánicas.** Un **volcán cono de escoria** se forma por una erupción explosiva en la que se acumula tefra formando un cono de laderas muy empinadas y consistencia esponjosa. Al caer la tefra alrededor de la chimenea, los materiales más pesados se quedan cerca y los más ligeros son arrojados más lejos. Este tipo de volcán suele tener una cima redondeada con un pequeño cráter en forma de cuenco. Las partes más altas del volcán son empinadas y cerca de la base la pendiente se vuelve suave. En el oeste de Estados Unidos hay muchos conos de escoria, como el Sunset Crater en Arizona. Estos volcanes también se encuentran en muchas otras partes de la Tierra, incluyendo la isla de Java, en Indonesia.

Un **volcán de escudo** (volcán compuesto por capas de lava solidificada, una base ancha y una abertura grande —cráter— en forma de cuenco en la cima) suele ser menos empinado y menos alto que otros tipos de volcanes. Se forma por erupciones repetidas que producen flujos de lava. La lava que forma este tipo de volcanes es relativamente delgada y sale de la chimenea. A medida que se va enfriando, la lava se hace más densa, fluye con mayor lentitud y, finalmente, se solidifica. El Mauna Loa en Hawai es uno de los más grandes volcanes de escudo del mundo (y también el volcán activo más grande del mundo). Su cima se encuentra a 4103 metros (13,677 pies) sobre el nivel del mar y 8400 metros (28,000 pies) encima de su base, la cual descansa en el fondo del océano.

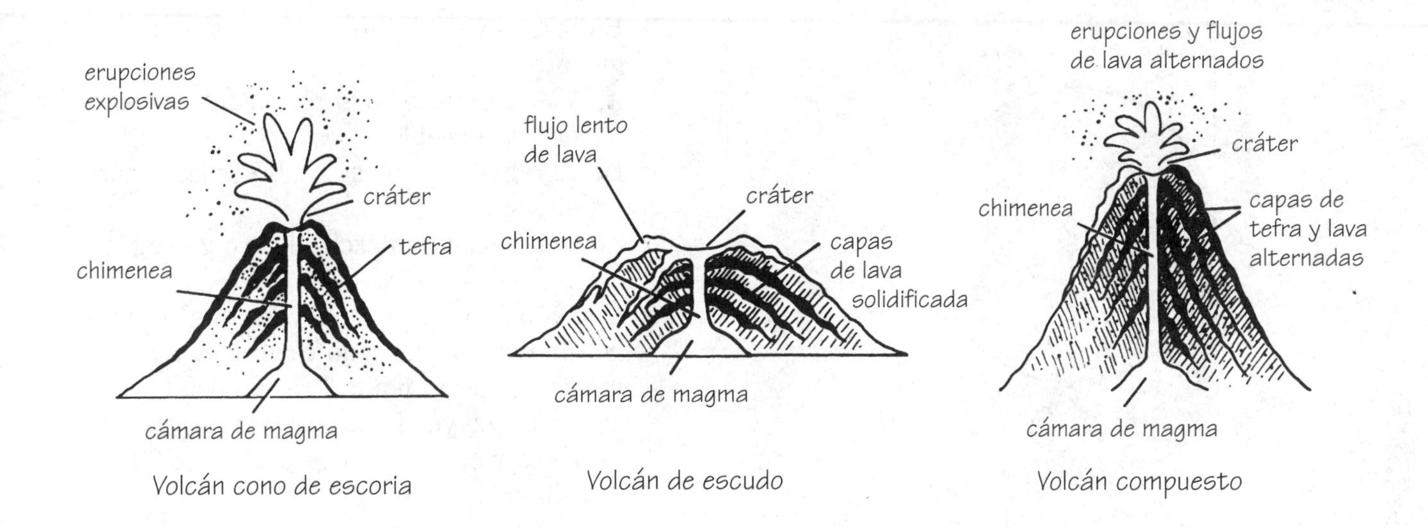

Un **volcán compuesto** (volcán de forma cónica constituido por capas alternadas de lava solidificada y partículas rocosas) es una combinación de un cono de escoria y un volcán de escudo como resultado de erupciones alternadas de detritos volcánicos y lava. Es probable que este tipo de volcán sea el más alto y empinado. El volcán Mount Rainier, en el estado de Washington, Estados Unidos, es un ejemplo de volcán compuesto.

ACTIVIDAD: SURTIDOR

Objetivo

Hacer el modelo de un volcán en erupción.

Materiales

regla
tijeras
cordel
lápiz
2 piezas cuadradas de cartulina de por lo menos 42.5 cm (17 pulgadas) por lado
botella de plástico vacía de 240 ml (8 onzas)
cinta masking tape
charola redonda de por lo menos 40 cm (16 pulgadas) de diámetro
2 tazas (500 ml) de yeso
recipiente de plástico desechable de 750 ml (3 tazas)
taza para medir de 250 ml (1 taza)
agua corriente
palito para manualidades
pintura al temple líquida color café, negro y rojo
pincel
2 cucharadas (30 ml) de líquido lavatrastes
colorante de cocina rojo
tableta efervescente, por ejemplo de Alka-Seltzer

Procedimiento

1. Traza un círculo en cada cartulina, uno con un radio de 20 cm (8 pulgadas) y otro con un radio de 17.5 cm (7 pulgadas). (Consulta en el apéndice 11 las instrucciones para trazar círculos grandes.) El círculo grande se llamará A y el pequeño B.

2. Recorta ambos círculos.

3. En el centro del círculo A, traza con el lápiz otro círculo del tamaño de una moneda. Para recortar el círculo interior, corta desde un borde del círculo A a lo largo de un radio y luego alrededor del círculo pequeño.

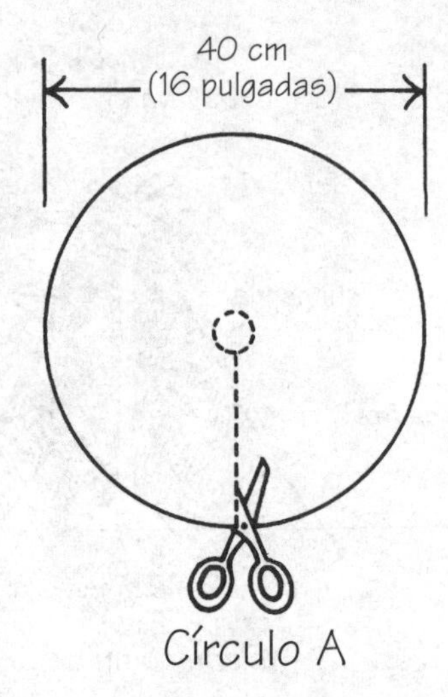

4. Pon la botella en el centro del círculo B. Fija la botella con masking tape.

5. Encima los extremos del corte del círculo A para formar un cono con una abertura grande y una pequeña. Coloca el cono sobre la botella de plástico y ajusta la distancia que se encimen los extremos del corte para que la altura del cono sea igual a la de la botella. La boca de la botella debe coincidir o quedar cerca de la abertura pequeña del cono. Fija los extremos encimados del cono con masking tape.

6. Con masking tape, fija la boca de la botella en la abertura pequeña del cono.

7. Centra el cono en el círculo B y fija con masking tape la base del cono sobre este círculo. Acabas de hacer el armazón de un volcán.

8. Coloca el armazón del volcán sobre la charola.

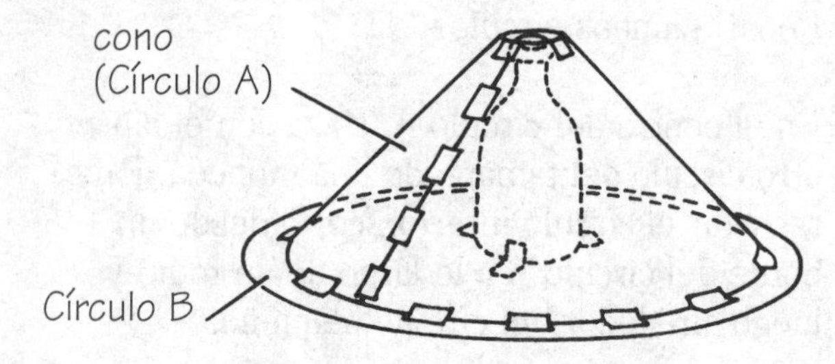

9. Prepara el yeso siguiendo los pasos siguientes:
   a. Vierte el yeso en el recipiente de plástico desechable.
   b. Agrega 1 taza de agua al recipiente con el yeso.
   c. Con el palito, mezcla el yeso y el agua.

10. Con el palito, extiende el yeso fresco sobre la cara externa del cono y sobre el área expuesta del círculo B. Procura que la superficie se vea lo más rugosa posible. Deja secar el yeso, lo que tardará de 20 a 30 minutos.

11. Con pintura café y negra, pinta tu volcán. Pinta una raya roja de arriba abajo de un lado del volcán para representar un flujo de lava.

12. Representa la erupción del volcán vertiendo 3/4 de taza (188 ml) de agua en la botella que está dentro del volcán.

13. Vierte el líquido lavatrastes en la botella.

14. Agrega 10 o más gotas del colorante rojo en la botella.

15. Rompe la tableta efervescente en cuatro o más pedazos que quepan en la boca del volcán. Mete dos o tres pedazos en la botella. Agrega más pedazos cuando se reduzca o se interrumpa la salida de espuma.

Resultados

Acabas de hacer el modelo de un volcán en erupción.

¿Por qué?

Los pedazos de la tableta efervescente reaccionan con el agua, produciendo un gas, bióxido de carbono. Este gas forma burbujas con el agua con jabón que suben de la botella y la espuma roja que representa la lava baja por un lado del modelo de volcán.

¡POR TU CUENTA!

Las partes de un volcán se pueden presentar en un exhibidor de tres secciones. (Consulta en el apéndice 1 las instrucciones para hacer un exhibidor de tres secciones.) Dibuja un corte transversal en color de un volcán compuesto en la sección central del exhibidor, con la base extendiéndose a las secciones laterales. Las secciones derecha e izquierda del exhibidor pueden usarse para identificar y definir las partes del volcán, como se muestra en la figura. Puedes colocar el modelo del volcán enfrente del exhibidor.

BIBLIOGRAFÍA RECOMENDADA

Longwell, Chester R., *Geología física*, México, Editorial Limusa.

VanCleave, Janice, *Ciencias de la Tierra para niños y jóvenes*, México, Editorial Limusa.

VanCleave, Janice, *Guía de los mejores proyectos para la feria de ciencias*, México, Editorial Limusa.

VanCleave, Janice, *Proyectos de excelencia para la feria de ciencias*, México, Editorial Limusa.

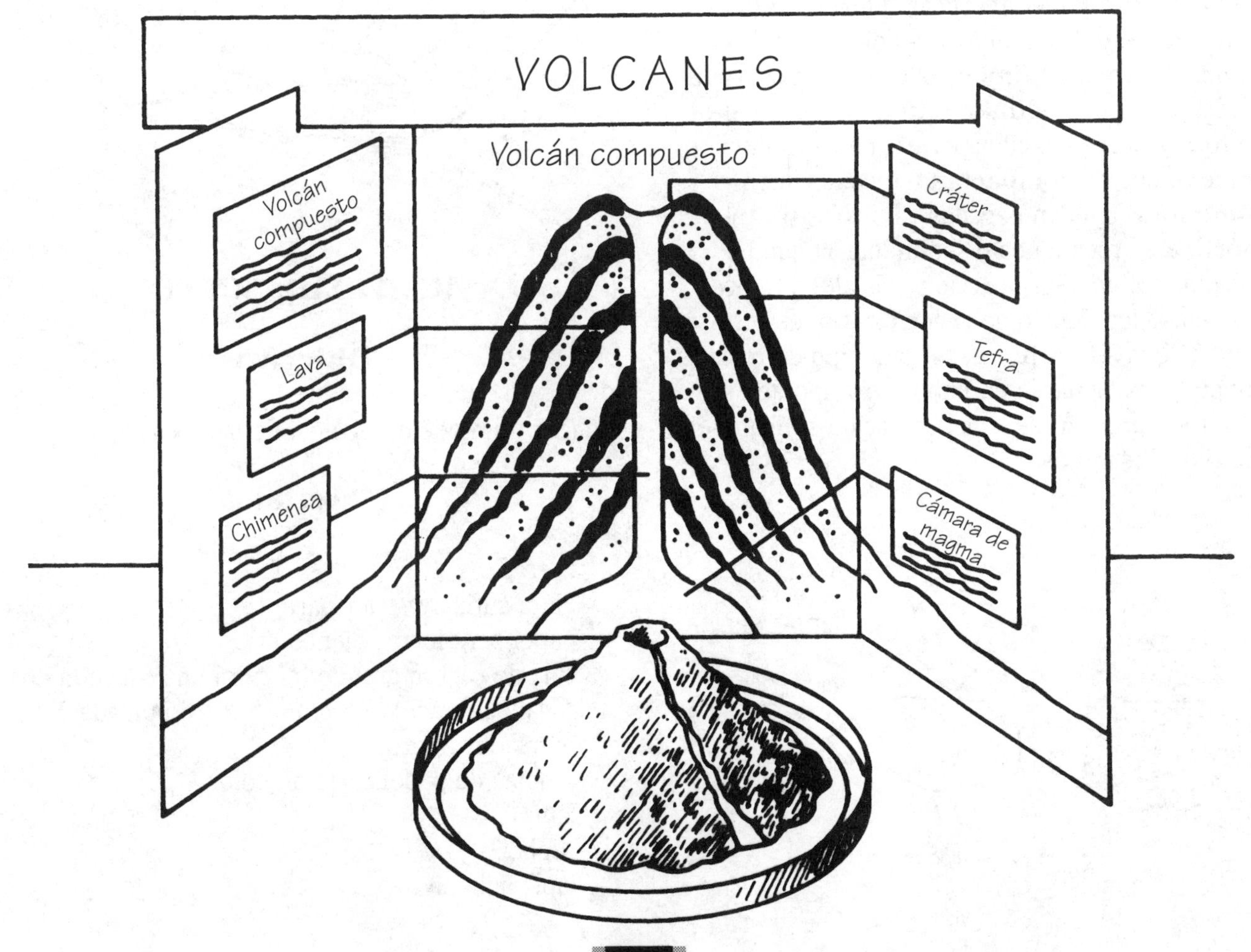

19

De roca a roca

¡Haz un modelo del ciclo de las rocas!

Una **roca** es un sólido compuesto por uno o más minerales que se encuentran en la naturaleza. Un **mineral** es una sustancia que consta de un solo tipo de elemento o compuesto químico con las cuatro características básicas siguientes: 1) se encuentra en la naturaleza; 2) es **inorgánico** (sustancia sin vida, que nunca estuvo viva y que no resultó de un proceso vital); 3) tiene una composición química definida, y 4) es un sólido cristalino.

Los tres tipos básicos de rocas son: ígneas, sedimentarias y metamórficas. La **roca ígnea** se forma por el enfriamiento y solidificación de roca líquida. La **roca sedimentaria** se forma a partir de depósitos de **sedimento** (fragmentos sueltos de roca y tierra llevados por el viento, la lluvia o el hielo) que se **compactan** (se comprimen) y se **cementan** (quedan pegados). La **roca metamórfica** es roca ígnea o sedimentaria que ha sufrido cambios por la acción del calor y la presión elevados dentro de la corteza terrestre. A través de diversos procesos, cada tipo de roca puede transformarse en uno u otro tipo de este trío. Este proceso de transformación se llama el **ciclo de las rocas**.

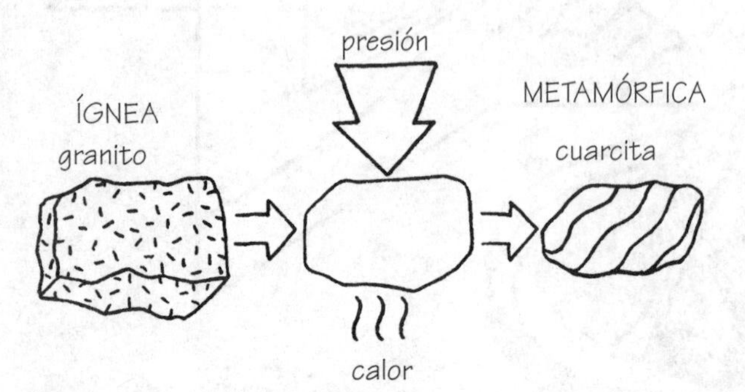

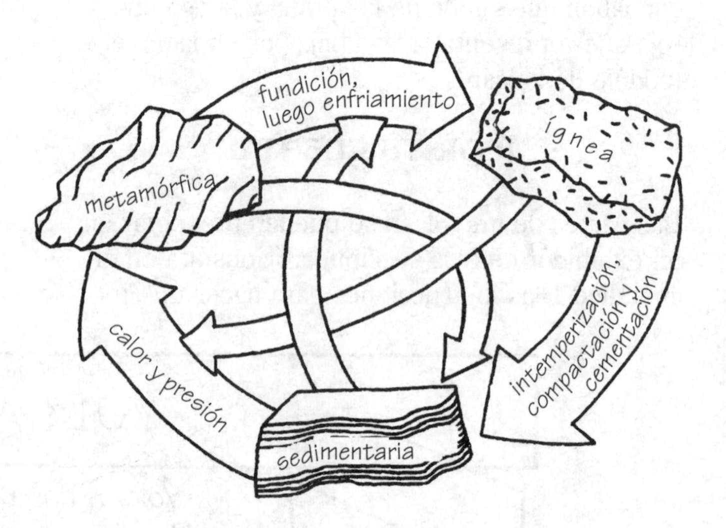

ACTIVIDAD: SIN FIN

Objetivo

Hacer un modelo del ciclo de las rocas.

Materiales

tijeras
cinta adhesiva transparente
papel para forrar blanco
caja de cartón grande [servirá una caja con dos lados de 45 × 65 cm (18 × 26 pulgadas)]
marcador negro
3 hojas de papel carta de color
lápiz
regla
lápiz adhesivo

Procedimiento

1. Con las tijeras y la cinta adhesiva, envuelve la caja de cartón con papel para forrar de manera que uno de los lados grandes tenga una superficie lisa.
2. Con el marcador, escribe el título "Ciclo de las rocas" en uno de los lados largos con cubierta lisa.
3. Con una hoja de papel carta, haz un libro con ceja grande. (Consulta en el apéndice 3 las instrucciones para hacer un libro con ceja grande.)
4. Escribe información sobre la formación de las rocas sedimentarias en el interior del libro con ceja.
5. En la parte exterior del libro con ceja, dibuja un diagrama que represente una roca sedimentaria o usa una ilustración. Escribe el título "Roca sedimentaria" en el libro con ceja.
6. Repite dos veces los pasos 3 a 5, haciendo un libro con ceja para las rocas ígneas y otro para las rocas metamórficas.
7. Voltea la caja de manera que el lado liso quede hacia arriba.
8. Coloca los libros con ceja sobre la caja como se muestra en la figura, con "Roca sedimentaria" abajo del título. Con el lápiz, haz un trazo ligero alrededor de los libros con ceja acomodados sobre la caja. Quita los libros con ceja y guárdalos para el paso 10.
9. Con la regla, dibuja flechas entre cada contorno de los libros con ceja, prolongando las líneas dentro del espacio para los libros, como se muestra en la figura. Incluye la información como se muestra en el diagrama dentro de cada flecha.

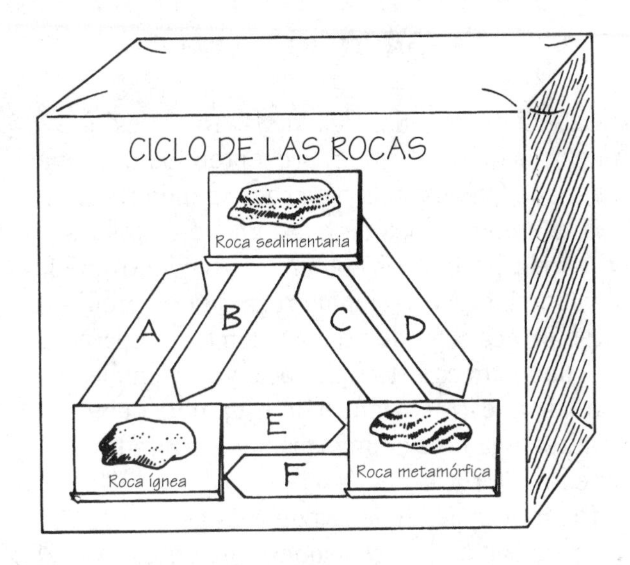

10. Fija con pegamento los libros con ceja en la caja. Acomoda la caja de manera que los libros con ceja queden al frente.

Resultados

Acabas de hacer un modelo del ciclo de las rocas.

¿Por qué?

Las rocas provienen de otras rocas. Las rocas ígneas se forman cuando rocas sedimentarias o metamórficas se funden, se enfrían y se solidifican. La **intemperización** (el proceso mediante el cual las rocas se rompen en pedazos más pequeños) de las rocas ígneas o metamórficas produce sedimento, a partir del cual se forman rocas sedimentarias. Las rocas metamórficas se forman cuando rocas ígneas o sedimentarias cambian de estructura, aspecto y composición por la acción de la temperatura y la presión dentro de la corteza terrestre.

En el modelo del ciclo de las rocas que hiciste en esta actividad, las rocas sedimentarias están en la parte superior. Esto se debe a que las rocas sedimentarias se forman cuando las otras rocas son empujadas a la superficie de la Tierra o cerca de ella, mientras que la formación de las rocas metamórficas e ígneas suele tener lugar bajo la superficie de la Tierra.

¡POR TU CUENTA!

Frente al modelo del ciclo de las rocas, exhibe muestras de rocas que representen los tres tipos y escribe una leyenda para cada tipo de roca. Los diferentes tipos de rocas pueden exhibirse en cajas para huevos con un letrero dentro de la tapa que indique el tipo de roca. Puede prepararse una carpeta de argollas con tres separadores, uno para cada tipo de roca, y presentarse con las muestras. Dentro de la carpeta debe ponerse una hoja de información para cada muestra de roca.

Identifica cada muestra de roca de acuerdo con las instrucciones siguientes:

1. Con el aplicador de una botella de corrector líquido, haz un punto en cada muestra de roca. Haz el punto en una parte sin importancia de la muestra. Puede usarse un color diferente de corrector líquido para cada tipo de roca.

2. Cuando el corrector líquido haya secado, escribe con una pluma de tinta indeleble un número de referencia sobre cada punto.

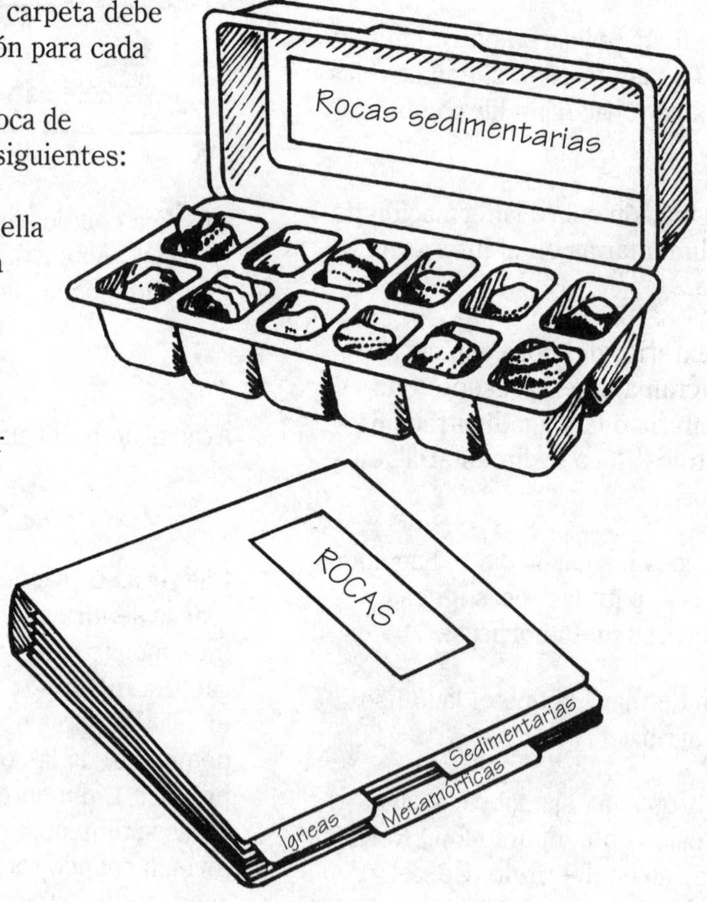

BIBLIOGRAFÍA RECOMENDADA

Longwell, Chester R., *Geología física*, México, Editorial Limusa.

VanCleave, Janice, *Ciencias de la Tierra para niños y jóvenes*, México, Editorial Limusa.

20

Deslices

¡Haz un modelo de las fallas!

El **esfuerzo** (fuerza) puede hacer que las rocas se **fracturen** (romperse dejando bordes rugosos o serrados). Si no hay movimiento a lo largo de la fractura, ésta se llama **grieta.** Si hay movimiento, la fractura se llama **falla.** La línea de fractura de una falla se llama el **plano de falla.** Si el plano de falla tiene movimiento vertical, el **bloque de falla** (la roca en cualquiera de los lados del plano de falla) situado arriba del plano de falla se llama **bloque de techo**, y al bloque de falla situado abajo del plano de falla se le llama **bloque de piso.** Los tipos de fallas se clasifican por la forma en que uno de los lados de la falla es desplazado en una dirección dada con respecto al otro lado.

Los tres tipos básicos de esfuerzo que actúan sobre la corteza terrestre son la tensión, la compresión y el desgarro. La **tensión** es una fuerza de estiramiento que puede tener la intensidad suficiente para separar las rocas. La **compresión** es una fuerza que aplasta las rocas, haciendo que formen pliegues, se doblen y en ocasiones se rompan. El **desgarro** es una fuerza que ejerce presión sobre la roca desde diferentes direcciones, haciendo que se tuerza y se rompa. Cuando el esfuerzo sobre la corteza es por tensión, el bloque de techo de la falla se mueve hacia abajo con respecto al bloque de piso, y se le llama **falla normal.**

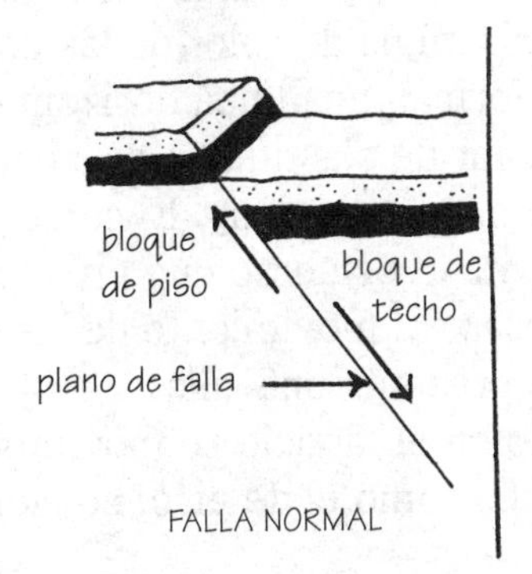

La compresión produce una **falla inversa.** Esta falla es similar a una falla normal, sólo que en este caso el bloque de techo se mueve hacia arriba en relación con el bloque de piso. Las fallas normales e inversas también se llaman **fallas de desplazamiento de inclinación**, debido a la dirección que sigue su movimiento.

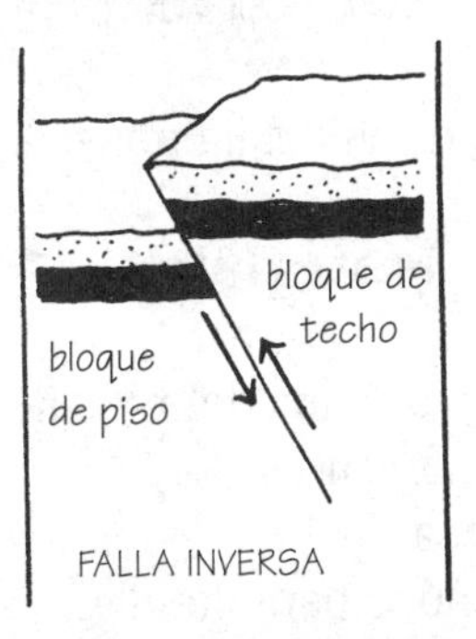

El desgarro produce una **falla lateral**, también llamada **falla de desplazamiento de rumbo.** El movimiento de los bloques de la falla a lo largo de un plano de falla vertical son principalmente horizontales, a la izquierda o a la derecha, con poco o ningún movimiento de arriba abajo. La dirección a la derecha o a la izquierda la determina un observador parado en cualquiera de los bloques de la falla; el movimiento del otro bloque es una **falla lateral izquierda** si se encuentra a la izquierda del observador, o una **falla lateral derecha** si se encuentra a la derecha de éste.

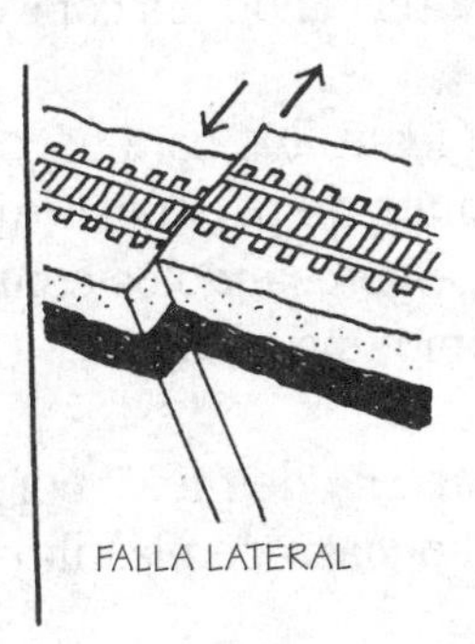

Las fallas pueden tener sólo unos centímetros (pulgadas) de largo o varios miles de kilómetros (millas). La falla de San Andrés, a lo largo de la parte occidental de América del Norte, tiene por lo menos 1300 km (812 millas) de largo. Consta principalmente de muchas fallas laterales derechas paralelas entre sí. En los últimos dos millones de años, la corteza terrestre a lo largo de esta falla se ha movido unos 16 km (10 millas). Los movimientos a lo largo de las fallas producen sismos (sacudidas del suelo provocadas por movimientos rápidos de la corteza terrestre).

ACTIVIDAD: FALLA NORMAL

Objetivo

Hacer el modelo de una falla normal.

Materiales

dos trozos de plastilina del tamaño de un limón de colores diferentes
cuchillo de mesa
2 palillos redondos para dientes
pieza cuadrada de cartulina de 20 × 20 cm (8 × 8 pulgadas)
marcador

Procedimiento

1. Parte a la mitad cada trozo de plastilina.
2. Con cada trozo de plastilina, haz un rollo de unos 10 cm (4 pulgadas) de largo.
3. Pon los cuatro rollos de plastilina uno arriba del otro alternando los colores.
4. Presiona los rollos para hacer un bloque compacto grande de plastilina. Aplana los lados del bloque golpeándolos contra una superficie plana, como una mesa.
5. Con el cuchillo de mesa, corta diagonalmente en dos el pedazo de plastilina.
6. Fija las capas de cada sección insertando un palillo para dientes de arriba abajo a través de las capas de plastilina.
7. Pon juntas las dos secciones sobre la cartulina cuadrada de manera que coincidan los colores de plastilina. Ahora mueve la sección izquierda hacia arriba y la sección derecha hacia abajo, como se muestra en el dibujo.
8. Escribe en la cartulina los nombres de las partes de la falla y el título "Falla normal".

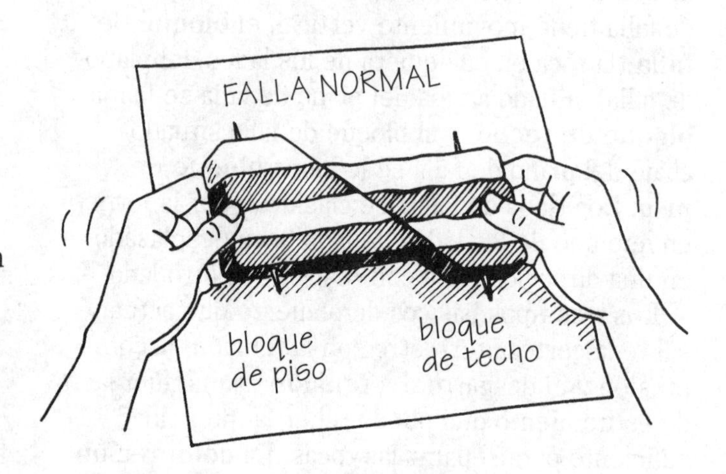

Resultados

Acabas de hacer el modelo de una falla normal.

¿Por qué?

La plastilina se corta y desplaza de manera que las capas de plastilina de color de las dos secciones ya no forman una línea horizontal continua. Cada color de plastilina representa la capa de un tipo de material rocoso. El corte de la plastilina representa el esfuerzo que provoca la fractura de las rocas. El movimiento de las secciones fracturadas representa una falla.

Aun cuando en el modelo se movieron tanto el bloque de techo como el de piso, no siempre es posible determinar si ambos bloques de las fallas de la corteza terrestre se mueven o si uno se mantiene fijo mientras el otro se desliza sobre él. Puesto que en el modelo el bloque de techo se representa más abajo que el de piso, el modelo representa una falla normal.

¡POR TU CUENTA!

1. Repite dos veces el experimento original para hacer otros dos modelos de plastilina, uno que represente una falla inversa y el otro una falla lateral. Exhibe los modelos de cada tipo de falla. Para cada modelo, prepara una tarjeta de archivo de 15 × 20 cm (6 × 8 pulgadas) con información que incluya un dibujo con indicaciones de las diferentes partes de la falla representada. Usa un exhibidor circular para mostrar tus tarjetas de información. (Consulta en el apéndice 12 las instrucciones para hacer un exhibidor circular.)

2. También puedes hacer y presentar modelos de papel de fallas normales e inversas. Para hacer esos modelos, corta tiras de cartulina de color de diferentes anchos y pégalas horizontalmente en una pieza de cartulina blanca. Deja espacios entre las tiras para que pueda verse la cartulina blanca. Deja secar el pegamento y luego corta la cartulina en diagonal para tener dos partes, como se muestra en la figura.

   Para una falla normal, mueve el bloque de techo hacia abajo. Usa cinta adhesiva en la parte posterior de las secciones para mantenerlas en esta posición. Repite lo anterior en otra cartulina, pero mueve el bloque de techo hacia arriba para indicar una falla inversa.

BIBLIOGRAFÍA RECOMENDADA

Fierro, Julieta, *Volcanes y temblores en México*, México, SITESA.

Sutherland, Lin, *Terremotos y volcanes*, Barcelona, Océano.

FALLA NORMAL

FALLA INVERSA

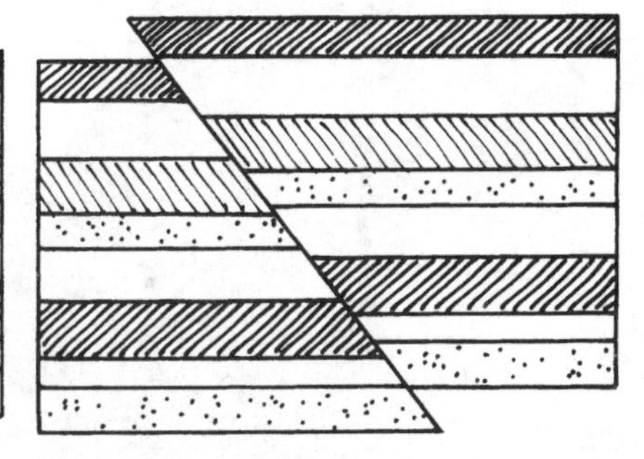

V

FÍSICA

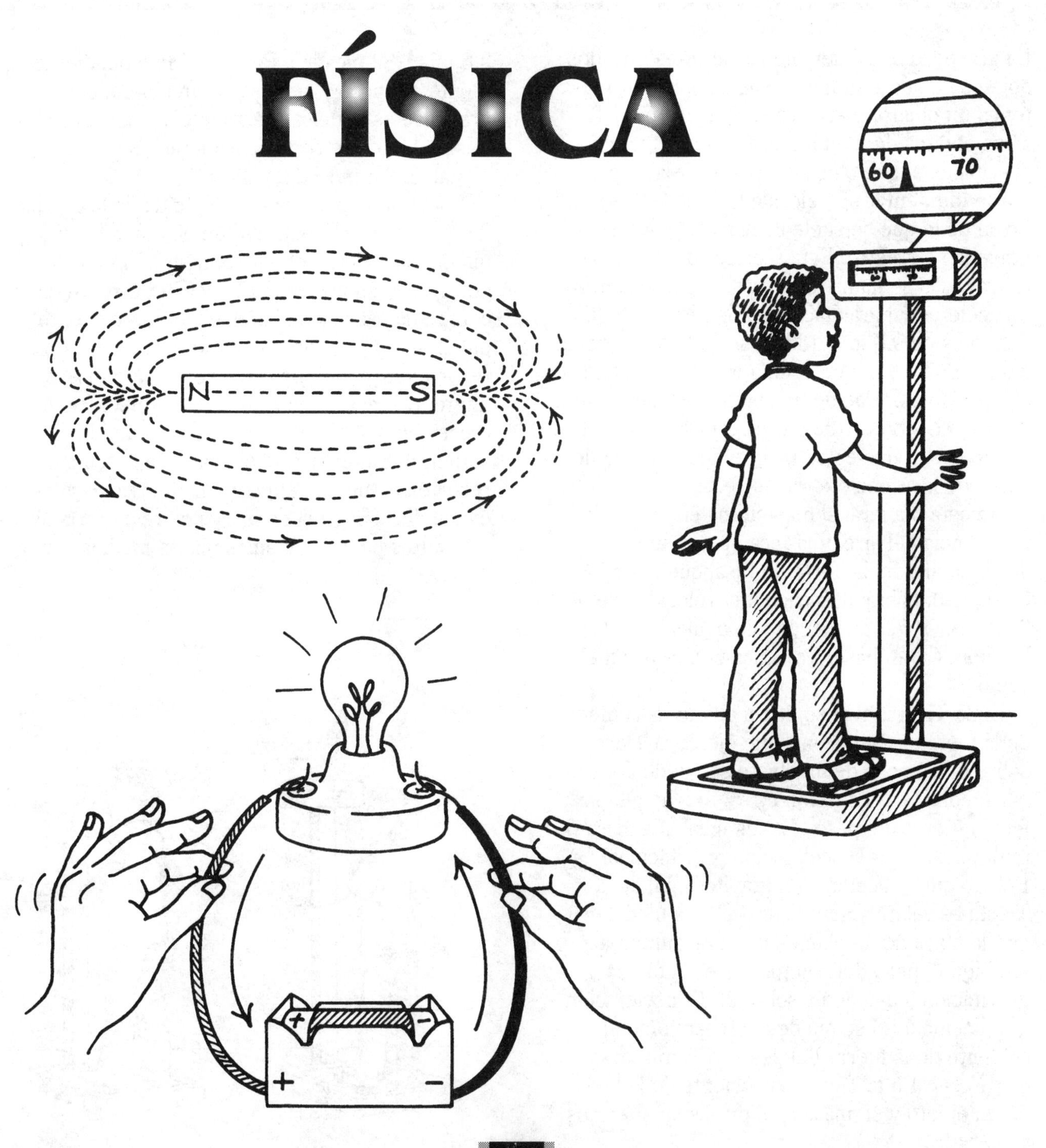

21

Pesado

¡Haz un modelo de la gravedad!

La gravedad es la fuerza de atracción entre dos objetos debida a su masa. Mientras mayor masa tenga un objeto, mayor es su gravedad. La Tierra atrae objetos de menor masa con una fuerza gravitacional que obliga a esos objetos a **acelerarse** (aumentar su velocidad) hacia la Tierra a razón de lo que se suele llamar una *g*, o una gravedad terrestre. Esta aceleración debida a la gravedad se llama **aceleración gravitacional**. La aceleración gravitacional aproximada de la Tierra es de 9.8 m/s^2 (32 $pies/s^2$), lo que significa que, si no se toma en cuenta la resistencia debida al aire, la velocidad de un objeto que cae aumenta a razón de 9.8 m/s (32 pies/s) a medida que el objeto cae. (**Aire** es el nombre de la mezcla de gases de la atmósfera terrestre.)

De esta manera, si no se toma en cuenta la resistencia del aire, una roca que se suelte desde lo alto de la Torre de Pisa, que mide 54 m (180 pies), habrá alcanzado una velocidad de 32.2 m/s (107.2 pies/s), lo que equivale a 117 km/hora (73 millas/hora), cuando choca con el suelo.

En la Tierra, el peso de un objeto es la medida de la fuerza gravitacional que ejerce la Tierra sobre él. El peso de un objeto se puede determinar mediante la ecuación $F_{pe} = m \times g$, que se lee: la fuerza del peso (F_{pe}) es igual a la masa (m) multiplicada por la aceleración gravitacional (g). Puesto que la aceleración gravitacional de la Tierra es relativamente constante, a medida que la masa de un objeto aumenta, aumenta también el peso del objeto, que es la fuerza gravitacional que actúa sobre él. La aceleración gravitacional (g) se puede expresar como el cociente de la fuerza del peso por la masa: $g = F_{pe}/m$. En la Tierra, el cociente de la fuerza de un objeto y su masa siempre es igual a unos 9.8 m/s^2 (32 $pies/s^2$). Por tanto, independientemente del peso y la masa de un objeto, si la gravedad es la única fuerza que actúa sobre el mismo, éste cae con una aceleración gravitacional de 9.8 m/s^2 (32 $pies/s^2$).

Puesto que la masa es la medida de la cantidad de materia que constituye un objeto, a medida que la masa de un objeto aumenta, lo mismo ocurre con su peso. Una **báscula de resortes**, como una báscula de baño, es un instrumento que mide el peso de un objeto. La báscula de resortes marca un peso diferente para masas diferentes; así, tu peso aumenta a medida que creces, lo que significa que tu masa también aumentó. Sin embargo, si usaras la báscula de resortes en un planeta con una fuerza gravitacional diferente a la de la Tierra, registraría pesos diferentes para las mismas masas medidas en la Tierra.

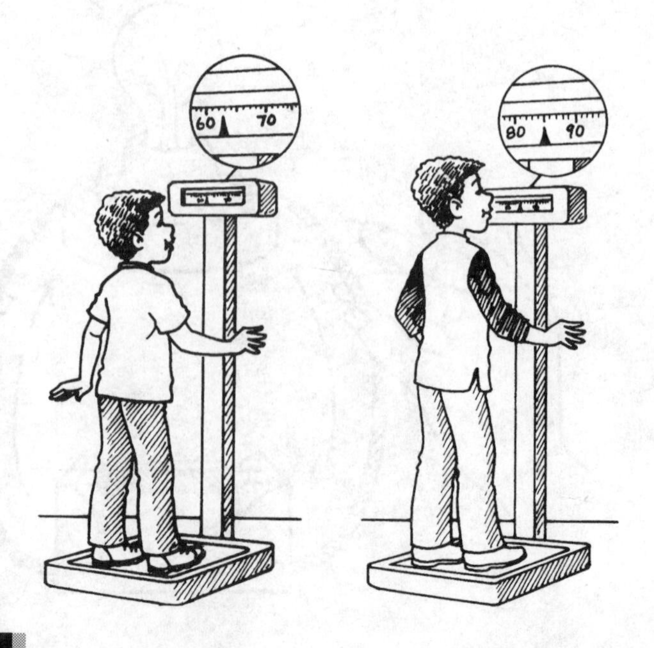

ACTIVIDAD: BÁSCULA DE RESORTES

Objetivo

Hacer un modelo de la forma en que una báscula de resortes mide la gravedad (el peso).

Materiales

2 clips grandes
pieza de cartón corrugado de 10 × 15 cm (4 × 6 pulgadas)
tijeras
liga
regla
popote (pajilla)
bolígrafo
vaso de papel de 90 ml (3 onzas)
trozo de cordel de 30 cm (12 pulgadas)
exhibidor angosto de tres secciones (ver apéndice 1)
marcador
varilla de 0.94 × 90 cm ($^3/_8$ × 9 pulgadas)
cinta adhesiva transparente
2 tarjetas de archivo blancas sin rayas de 15 × 22.5 cm (6 × 9 pulgadas)
pedazo de plastilina del tamaño de un limón

Procedimiento

1. Fija uno de los clips en el centro de uno de los lados angostos del cartón corrugado. Éste será el clip A.

2. Corta la liga para formar una tira larga.

3. Anuda un extremo de la liga a la parte baja del clip A.

4. Corta un pedazo de 5 cm (2 pulgadas) del popote.

5. Pasa la liga por el pedazo corto de popote. Con cinta adhesiva, fija el popote al cartón corrugado de modo que quede justo abajo del clip A.

6. Anuda el extremo libre de la liga al segundo clip, que será el clip B.

7. Coloca el cartón sobre una superficie plana y acomoda la liga de manera que quede derecha pero sin estirarla. Haz una marca en el cartón en la parte superior del clip B. Traza una línea horizontal sobre el cartón a nivel de esta marca.

8. Traza 10 rayas adicionales debajo de esta línea cada 0.5 cm ($^1/_5$ de pulgada).

9. Empezando por la línea de arriba, numera las líneas del 0 al 10.

10. Con el bolígrafo, haz agujeros en lados opuestos del vaso de papel, justo debajo del borde superior.

11. Pasa los extremos del cordel por los agujeros del vaso, y anúdalos para formar un asa.

12. Cuelga el asa del clip B.

13. Prepara un exhibidor angosto de tres secciones siguiendo las instrucciones del apéndice 1. Con el marcador escribe el título en la parte superior de la sección central, por ejemplo "Peso/Masa".

14. Con el bolígrafo, haz un agujero en el centro de cada hoja lateral del exhibidor a unos 5 cm (2 pulgadas) del borde superior. Agranda los agujeros para que quepa la varilla. Pídele a un adulto que corte el sobrante de la varilla.

15. Introduce la varilla por los agujeros del exhibidor.

16. Con cinta adhesiva, fija la parte superior del pedazo de cartón. El cartón tendrá que centrarse frente a la sección central del exhibidor.

17. Con el bolígrafo, escribe el título "Peso" en una de las tarjetas de archivo. Abajo, escribe información sobre el peso en la tarjeta, incluyendo las diferencias entre peso y masa. Con cinta adhesiva, fija la tarjeta abajo a la izquierda de la sección central del exhibidor.

18. Con el bolígrafo, escribe el título "Masa" en la otra tarjeta de archivo. Abajo escribe información sobre la masa en la tarjeta. Con cinta adhesiva fija la tarjeta abajo a la derecha de la sección central del exhibidor.

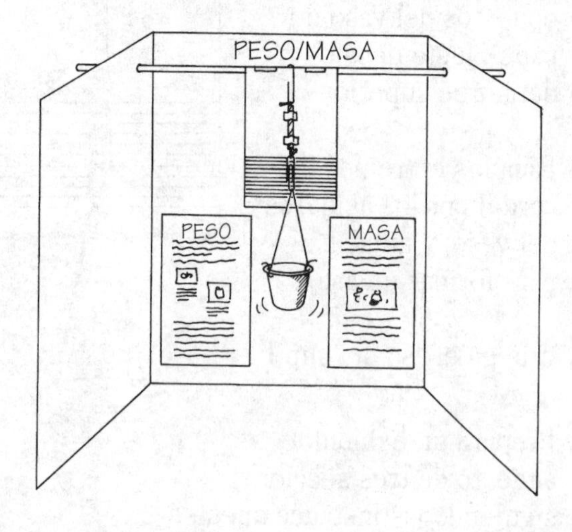

19. Divide la plastilina sacando un pedazo del tamaño de una uva.

20. Usa tu modelo de la báscula de resortes para demostrar la diferencia de peso entre objetos con masas diferentes. Para hacerlo, coloca el pedazo pequeño de plastilina en el vaso y anota la línea más cercana a la parte superior del clip B. Repite este paso con el pedazo grande de plastilina.

Resultados

Acabas de hacer el modelo de una báscula de resortes que muestra cómo se mide el peso.

¿Por qué?

El modelo de báscula de resortes demuestra que cuando la masa en el vaso aumenta, el vaso es jalado hacia abajo con una fuerza mayor. Esta fuerza hacia abajo es la gravedad de la Tierra que actúa sobre el vaso. Mientras mayor es la masa de un objeto, mayor es el movimiento hacia abajo y, por tanto, es mayor la fuerza gravitacional sobre este objeto. Puesto que el peso de un objeto es la medida de la fuerza gravitacional que actúa sobre él, tu modelo demuestra que cuando la masa de un objeto aumenta, también aumenta su peso. Aunque tu modelo no mide el peso con exactitud, sí puede usarse para comparar objetos con diferente peso.

¡POR TU CUENTA!

Un objeto tendría la misma masa en la Tierra y en la Luna, pero su peso sería diferente. Esto se debe a que la Luna tiene una aceleración gravitacional menor que la de la Tierra. Puesto que la masa es la cantidad de materia en un objeto, un cambio en el valor de la aceleración gravitacional cambia el peso del objeto pero no su masa. La razón gravitacional (RG) de un cuerpo celeste es su aceleración gravitacional dividida entre la aceleración gravitacional de la Tierra. Así, la RG de la Tierra es igual a $9.8 \text{ m/s}^2 \div 9.8 \text{ m/s}^2 = 1$ ($32 \text{ pies/seg}^2 \div 32 \text{ pies/s}^2 = 1$). Los cuerpos celestes con una razón gravitacional mayor que 1 tienen una aceleración gravitacional mayor que la de la Tierra. Aquellos con una razón gravitacional menor que 1 tienen una aceleración gravitacional menor que la de la Tierra. Tu peso medido en kilogramos (libras) en cada planeta se puede calcular siguiendo estos pasos.

1. Pésate en una báscula para determinar tu peso en kilogramos (libras) en la Tierra.

2. Usa una calculadora para multiplicar tu peso en kilogramos (libras) por la razón gravitacional de cada planeta, tal como aparece en la tabla "Datos de peso". Por ejemplo, si pesas 40 kg (88 libras) en la Tierra, tu peso en la Luna de la Tierra, cuya razón gravitacional es de 0.17, sería de:

$$40 \text{ kg} \times 0.17 = 6.8 \text{ kg}$$
$$88 \text{ libras} \times 0.17 = 14.96 \text{ libras}$$

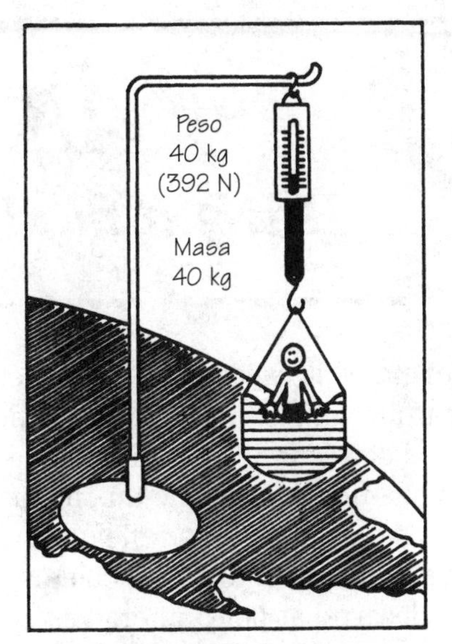

TIERRA

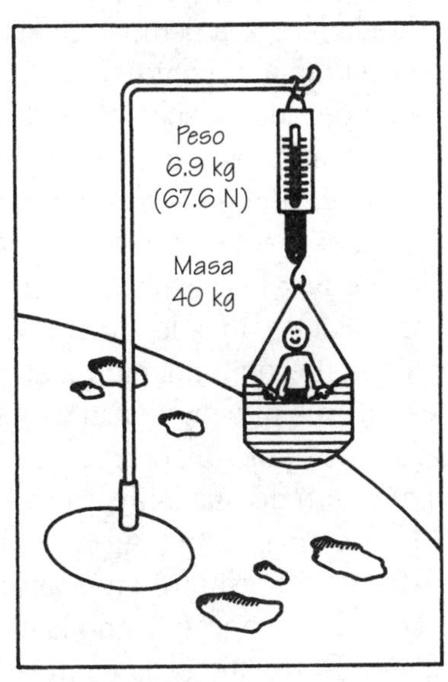

LUNA

En una de las secciones laterales de tu exhibidor puedes presentar una tabla que indique tu peso en los diversos planetas y en la Luna. En la otra sección lateral puedes presentar un diagrama, como el que aquí aparece, indicando tu masa y peso en la Tierra y en la Luna y/o en otro planeta.

Nota: si deseas calcular tu peso en **newtons**, multiplica tu peso en kilogramos (libras) por el factor 9.8 N/1 kg (4.5 N/1 libra).

Datos de peso	
Planeta	**Razón gravitacional (RG)**
Mercurio	0.38
Venus	0.91
Tierra	1.00
Marte	0.38
Júpiter	2.54
Saturno	1.16
Urano	0.91
Neptuno	1.19
Plutón	0.06
Luna de la Tierra	0.17

BIBLIOGRAFÍA RECOMENDADA

Callan, Jim, *Sorpréndete con los grandes científicos*, México, Editorial Limusa.
VanCleave, Janice, *Guía de los mejores proyectos para la feria de ciencias*, México, Editorial Limusa.
VanCleave, Janice, *Física para niños y jóvenes*, México, Editorial Limusa.
VanCleave, Janice, *Proyectos de excelencia para la feria de ciencias*, México, Editorial Limusa.
VanCleave, Janice, *Máquinas para niños y jóvenes*, México, Editorial Limusa.

22

¡A moverse!

¡Haz un modelo de la energía mecánica!

La **energía** es la capacidad de un objeto de provocar un cambio. También se define como la capacidad de realizar **trabajo** (lo que se logra cuando una fuerza hace que un objeto se mueva). Fue cuando los científicos reflexionaban sobre las causas del movimiento de los objetos, que empezaron a desarrollar por primera vez el concepto de energía. En 1583, a la edad de 19 años, el científico italiano Galileo Galilei (1564-1642) observó que la lámpara de una iglesia que oscilaba subía casi tan alto como el punto a partir del cual había empezado a oscilar. Utilizó su pulso para cronometrar la oscilación de la lámpara y descubrió que el tiempo necesario para bajar era el mismo que el tiempo que le tomaba subir de nuevo. Galileo no pudo explicarse por qué la lámpara oscilaba de un lado a otro, pero sus observaciones fueron fundamentales para los científicos futuros que siguieron experimentando y explicaron los tipos de energía que intervenían en el movimiento de una lámpara que oscila.

En 1807, Thomas Young, un físico inglés (1773-1829), fue el primero en usar la palabra energía. Definió la energía como la capacidad de hacer trabajo. El trabajo es la cantidad de fuerza aplicada sobre un objeto multiplicada por la distancia que el objeto recorre en la dirección de la fuerza. La primera forma de energía definida por Young fue la **energía mecánica** (la energía del movimiento). Es la energía de un objeto que se mueve o tiene la capacidad de moverse. Hoy en día, los físicos consideran en general que la energía mecánica es la suma de la **energía cinética** (**EC**, la energía que tiene un objeto en movimiento debido a su movimiento) y la **energía potencial** (**EP**, la energía asociada con la posición o condición de un objeto). La energía cinética se puede transformar en energía potencial, y viceversa. En el diagrama, en la posición A, el columpio se encuentra en su posición más alta y no se está moviendo. Por tanto, tiene energía potencial (EP) máxima y cero energía cinética (EC). Al empezarse a mover el columpio hacia la posición B, su EP cambia a EC. De esta manera, en la posición B, toda su EP ha cambiado a EC. A medida que el columpio sigue su camino hacia la posición C, su energía cinética empieza de nuevo a cambiar a energía potencial, hasta que al alcanzar la posición C tiene una EP máxima y cero EC, y así sucesivamente.

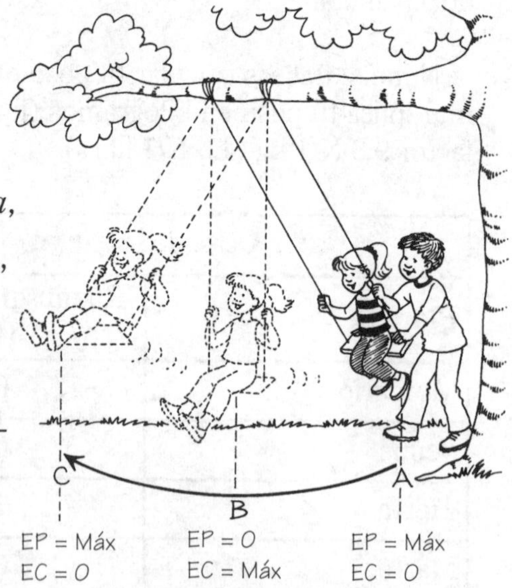

El término *energía cinética* tiene su origen en la palabra griega *kinema*, que significa "movimiento" (la que también inspiró el término moderno *cinematógrafo*). Cuando una pelota rueda colina abajo, tiene energía cinética porque tiene movimiento. En la parte alta de la colina, la pelota tiene energía mecánica almacenada debido a su posición en la colina. Esta energía mecánica almacenada se llama **energía gravitacional potencial** (**EGP**, energía potencial debida a la altura de un objeto por encima de la superficie). En la parte alta de la colina, la pelota tiene una EGP máxima y cero EC. Debido a la gravedad, la pelota rueda colina abajo. Mientras va rodando, su energía gravitacional potencial cambia a energía cinética. Cuando la pelota se encuentra a medio camino hacia abajo, la mitad de su EGP ha cambiado a EC, por lo que su EGP es igual a su EC. Al pie de la colina, la pelota tiene cero EGP y EC máxima. El cambio de energía de una forma a otra se llama **conversión de energía.**

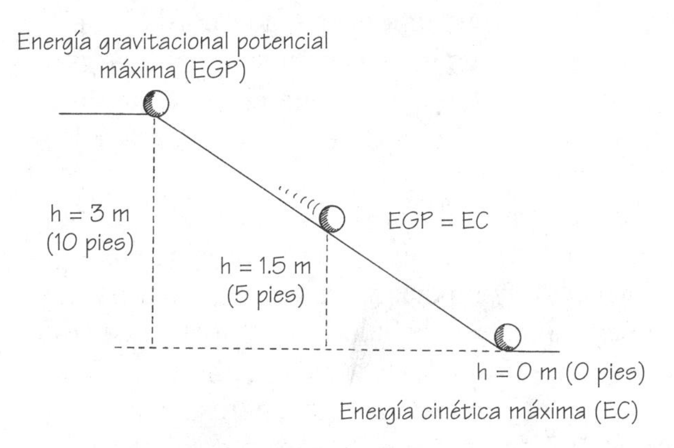

ACTIVIDAD: OSCILANTE

Objetivo

Hacer un modelo de la conversión de energía en un péndulo que oscila.

Materiales

perforadora
pieza de cartulina amarilla u otro color claro de 25 × 30 cm (10 × 12 pulgadas)
marcador negro de punta fina
regla
tres trozos de cordel de 30 cm (12 pulgadas)
tres arandelas metálicas
pegamento
cinta adhesiva transparente

Procedimiento

1. Con la perforadora, haz un agujero a unos 2.5 cm (1 pulgada) del centro de uno de los lados angostos de la cartulina.

2. Con la regla y el marcador, traza en la cartulina tres líneas de igual longitud y no mayores de 20 cm (8 pulgadas), empezando en el mismo punto abajo del agujero. Una línea debe bajar directamente hacia el centro del lado angosto de la cartulina, y las otras dos deben trazarse en diagonal desde el agujero hacia las esquinas de abajo de la cartulina, como se muestra en el dibujo.

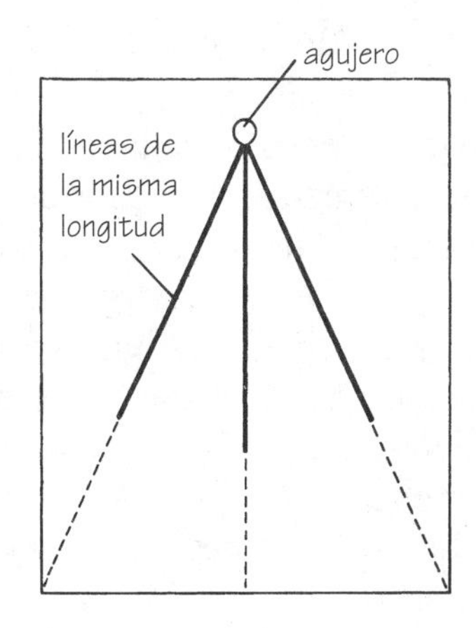

3. Ata un cordel a cada arandela metálica.

4. Pega una arandela en el extremo de cada línea sobre la cartulina. Deja secar el pegamento.

5. Introduce en el agujero el extremo libre de uno de los cordeles. Estira el cordel de modo que coincida con la línea negra que va desde la arandela al agujero. Con cinta adhesiva, pega el extremo del cordel detrás de la cartulina.

6. Repite el paso 5 con los cordeles atados a las arandelas restantes.

7. Con el marcador, escribe lo siguiente en la cartulina:

   - un título, como "Conversión de Energía"
   - líneas punteadas y flechas para indicar el movimiento del péndulo
   - la relación entre la energía potencia (EP) y la energía cinética (EC), como se muestra en el diagrama

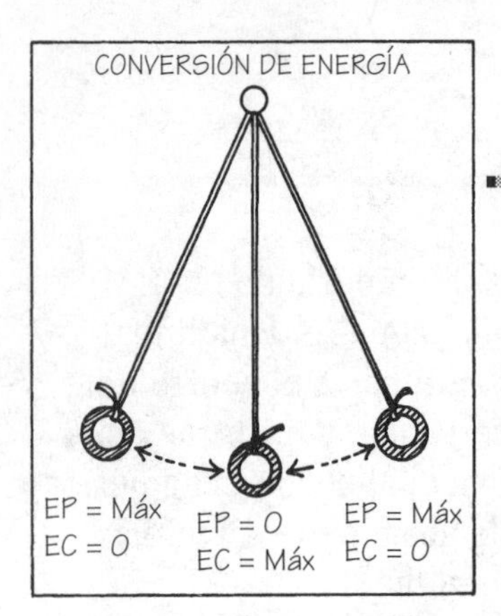

Resultados

Acabas de hacer un modelo de la conversión de energía en un péndulo en movimiento.

¿Por qué?

Un **péndulo** es un peso colgado de manera que pueda oscilar libremente alrededor de un punto fijo. Cuando un péndulo oscila de un lado a otro, hay un cambio continuo de energía gravitacional potencial a energía cinética. Al cambio de energía de una forma a otra se le llama conversión de energía. Cuando se deja caer un objeto, la energía cambia de potencial a cinética. Al final de cada oscilación, el péndulo se detiene y se mueve en la dirección contraria. Al final de la oscilación, el péndulo se encuentra en su posición más elevada y sólo tiene energía gravitacional potencial (EGP) y nada de energía cinética (EC). Cuando la gravedad jala el péndulo, éste se mueve hacia abajo y su EGP cambia continuamente a EC. Así, en el punto más bajo de la oscilación, el péndulo sólo tiene EC y nada de EGP. Cuando el péndulo va subiendo, la EC cambia de manera continua a EGP, y así sucesivamente. El péndulo pierde energía debido a la fricción entre el péndulo y el aire, de manera que su altura disminuye con cada oscilación hasta que, finalmente, se detiene.

¡POR TU CUENTA!

Presenta tu modelo de conversión de energía en la sección central de un exhibidor angosto de tres secciones. (Consulta las instrucciones para hacer el exhibidor en el apéndice 1, parte A.) Escribe el título "Energía mecánica: EP + EC" en la tira del título.

En la sección izquierda del exhibidor, fija un diagrama e información sobre la energía potencial, dibujado en una cartulina de 15 × 30 cm (6 × 12 pulgadas). (Nota: usa el mismo color de cartulina que el que usaste para tu modelo de conversión de energía.) Incluye un título, "Energía potencial (EP)", y abajo del título dibuja un diagrama que represente un objeto con energía potencial, como una roca grande en el borde de un alto despeñadero. Abajo del diagrama, agrega información sobre la energía potencial, incluyendo su definición y ejemplos. Fija esta cartulina en la sección izquierda del exhibidor.

En otra cartulina de 15 × 30 cm (6 × 12 pulgadas) del mismo color que el anterior, pon información y un diagrama sobre la energía cinética. Incluye el título "Energía cinética (EC)" y abajo del título dibuja un diagrama que represente un objeto con energía cinética, como un automóvil en movimiento. Abajo del diagrama agrega información sobre la energía cinética, incluyendo la definición y ejemplos. Fija esta cartulina en la sección derecha del exhibidor.

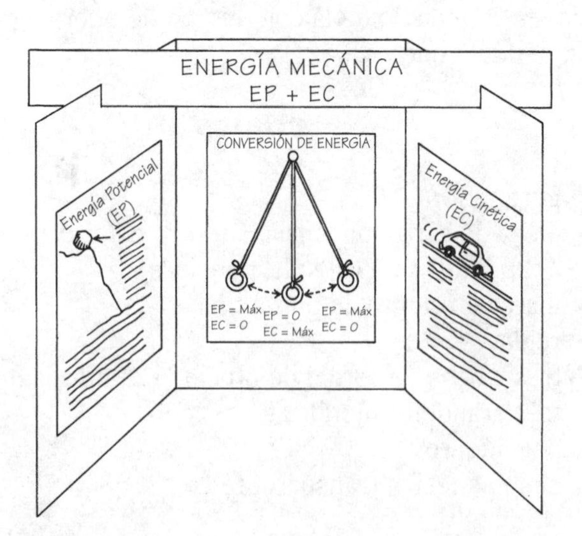

BIBLIOGRAFÍA RECOMENDADA

Cutnell, John D., *Física*, México, Editorial Limusa.
VanCleave, Janice, *Física para niños y jóvenes*, México, Editorial Limusa.
VanCleave, Janice, *Máquinas para niños y jóvenes*, México, Editorial Limusa.

23

Trayectorias

¡Haz el modelo de un circuito eléctrico!

La propiedad de las partículas internas de los átomos que hace que éstas se atraigan o se rechacen entre sí se llama **carga.** Hay dos tipos conocidos de carga: positiva y negativa. Un **protón**, que se encuentra en el **núcleo** (centro) de un átomo, tiene una carga positiva de +1. Los **electrones**, que giran alrededor del núcleo, tienen una carga negativa de –1. La **electricidad** es una forma de energía asociada a la presencia y movimiento de cargas eléctricas. La acumulación de cargas estacionarias se llama **electricidad estática**, y el movimiento de las cargas se llama **electricidad dinámica**.

Una **pila** es un dispositivo que utiliza sustancias químicas para producir electricidad. Los extremos de una pila se llaman **terminales** (los puntos donde se hacen las conexiones a un aparato eléctrico); una es la **terminal positiva** (la terminal con carga positiva) y la otra es la **terminal negativa** (la terminal con carga negativa). En una pila, la energía eléctrica sólo puede usarse cuando sus dos terminales están conectadas por un **conductor** (material que permite que las cargas eléctricas pasen por él con facilidad), como un alambre. La trayectoria por la que se mueven las cargas eléctricas se llama **circuito eléctrico.**

Cuando hay una sola trayectoria que puede seguir la corriente eléctrica, el circuito eléctrico se llama **circuito en serie.** En el diagrama, las flechas representan la corriente de electricidad en un circuito en serie, la cual sale de la terminal negativa de la pila, pasa por el foco y regresa a la terminal positiva de la pila.

Un **circuito en paralelo** es un circuito eléctrico que puede seguir más de una trayectoria.

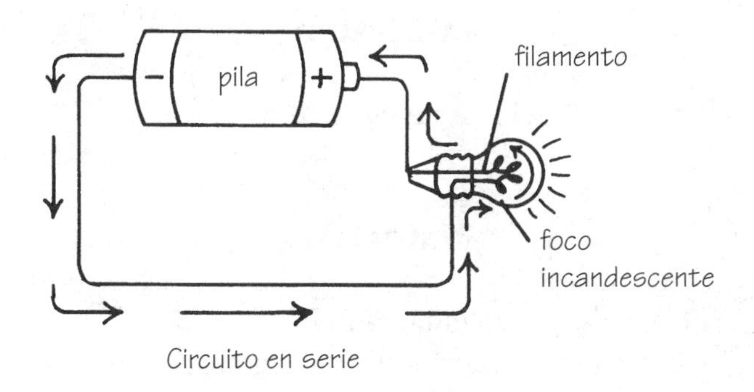

Circuito en serie

La ventaja de esto, lo mismo que cuando se agrega un carril a una carretera congestionada, es que permite el paso de más tráfico. En un circuito en paralelo puede pasar más corriente.

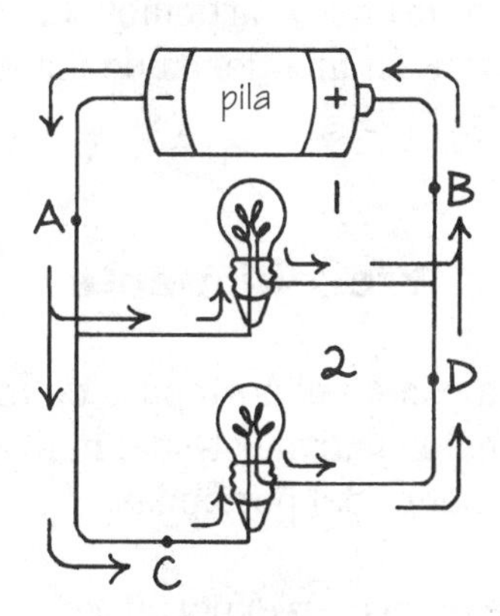

Circuito en paralelo

Si se interrumpe alguna parte de un circuito en serie, lo que significa que hay un corte en la trayectoria formada por los conductores, la corriente no puede pasar por ninguna parte del circuito y se dice que es un **circuito abierto.** Un circuito eléctrico en el que no hay interrupciones en la trayectoria se llama **circuito cerrado.** En el diagrama, si el circuito se interrumpe en los puntos A o B, la corriente no puede pasar por ninguna parte del circuito. Sin embargo, si el circuito se interrumpe en los puntos C o D, no pasará corriente por la lámpara 2, pero sí por la lámpara 1.

ACTIVIDAD: ABIERTO Y CERRADO

Objetivo

Hacer el modelo de un circuito en serie.

Materiales

1 pila de 1.5 volts tamaño D
un portapilas tamaño D con alambres aislados (rojo y negro)
foco de lámpara de mano (para portafocos con base de tornillo E-10)
portafocos con base de tornillo E-10
exhibidor ancho de tres secciones (Consulta el apéndice 1, parte B.)
(Los cuatro primeros artículos pueden comprarse en una tienda de material eléctrico.)

Procedimiento

1. Coloca la pila en el portapilas de manera que la terminal negativa esté del mismo lado del alambre negro del portapilas.

2. Atornilla el foco en el portafocos.

3. Sosteniendo en cada mano la parte aislada de un alambre del portapilas, toca con las puntas sin aislante de los alambres los tornillos a cada lado del portafocos. *CUIDADO: sólo deja los alambres en contacto con los tornillos unos segundos. El alambre sin aislante y el foco pueden calentarse lo suficiente para quemarte. Deja que se enfríen antes de tocarlos de nuevo.*

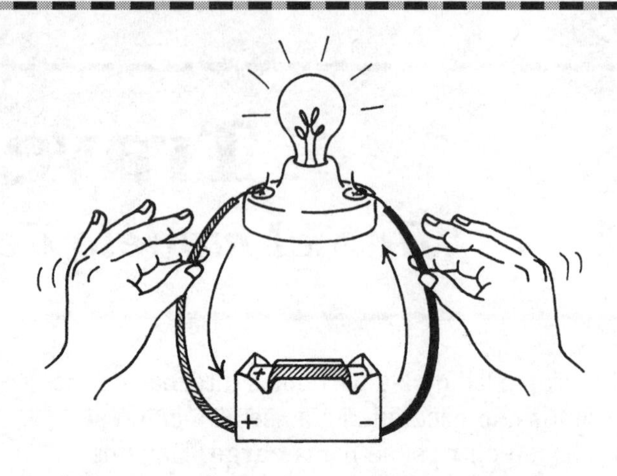

4. Observa el foco cuando sólo el alambre que sale de la terminal negativa de la pila toca uno de los tornillos del portafocos.

5. Repite el paso 4 usando sólo el alambre de la terminal positiva.

6. Prepara un exhibidor siguiendo las instrucciones del apéndice 1, parte B. Coloca el modelo de serie enfrente del exhibidor. *CUIDADO: para mayor seguridad, coloca una pila falsa, por ejemplo un tubo de papel marcado "pila" en el portapilas. Esto evitará que otras personas conecten el circuito sin tu supervisión. Si deseas hacer una demostración de tu modelo, puedes poner una pila real en el portapilas.*

7. Haz una hoja de información sobre los circuitos en serie y fíjala en la sección central del exhibidor, atrás de tu modelo de circuito en serie. Tu hoja de información puede incluir un ejemplo de un diagrama esquemático de

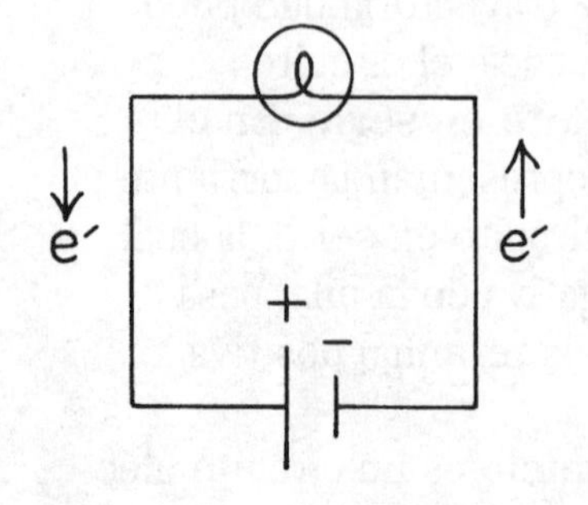

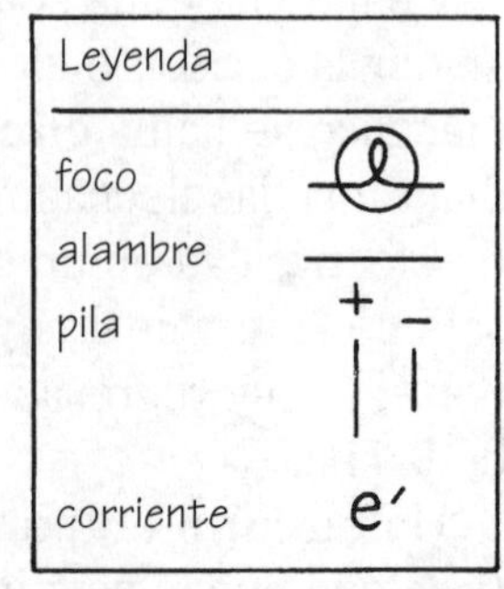

un circuito en serie, como el que se muestra, así como una explicación de cómo fluye la corriente a través de un circuito en serie.

Resultados

Acabas de hacer un modelo de un circuito en serie.

¿Por qué?

Cuando ambos alambres tocan los dos lados del portafocos, el circuito eléctrico formado por el foco, el portafocos, el alambre, el portapilas y la pila es una trayectoria continua llamada circuito cerrado. El foco brilla cuando hay un circuito cerrado. Se produce este brillo cuando el **filamento** (el pequeño alambre dentro del foco) se calienta lo suficiente para producir luz. Cuando sólo uno de los alambres toca el portafocos, hay una separación de los materiales conductores que forman el circuito eléctrico, por lo que se forma un circuito abierto y el foco no brilla.

¡POR TU CUENTA!

Usa dos hojas de papel para preparar hojas de información sobre circuitos abiertos y cerrados y circuitos en paralelo, incluyendo definiciones, diagramas y/o ilustraciones que los representen.

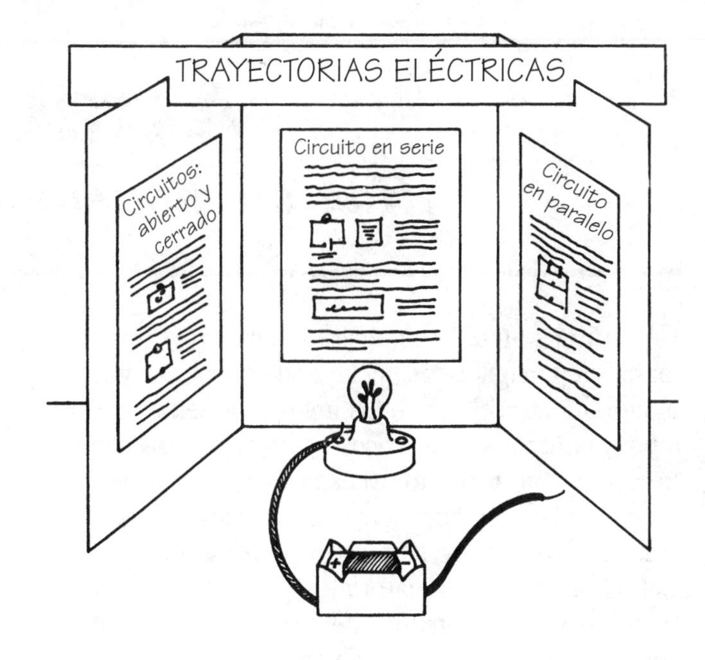

Pueden usarse diagramas esquemáticos. El título de tu presentación será "Trayectorias eléctricas".

BIBLIOGRAFÍA RECOMENDADA

VanCleave, Janice, *Electricidad para niños y jóvenes*, México, Editorial Limusa.

VanCleave, Janice, *Física para niños y jóvenes*, México, Editorial Limusa.

VanCleave, Janice, *Proyectos de excelencia para la feria de ciencias*, México, Editorial Limusa.

24

Atractivo

¡Haz un modelo del magnetismo!

Un **imán** es un objeto que atrae el hierro y otros materiales magnéticos, incluyendo el cobalto y el níquel. La atracción que los imanes tienen entre sí o por materiales magnéticos se llama **fuerza magnética** o **magnetismo.** El espacio alrededor de un imán en el que puede afectar materiales magnéticos y/u otro imán se llama **campo magnético.**

Los imanes y los materiales magnéticos contienen **dominios** (grupos de átomos que actúan como imanes diminutos). Cuando un material magnético se coloca cerca de un imán, los dominios de este material se alinean en la dirección del campo magnético del imán. Esto provoca que el material quede magnetizado temporalmente. En general, cuando el material se aleja del campo magnético, en poco tiempo los dominios regresan a una disposición desordenada. Mientras que todos los imanes están hechos de material magnético, no todos los materiales magnéticos están magnetizados. Por ejemplo, un clavo de hierro es un material magnético. Cuando el hierro está magnetizado, muchos de sus dominios se alinean de tal modo que quedan orientados en la misma dirección. Si el hierro no está magnetizado, los dominios del hierro se orientan en direcciones diferentes.

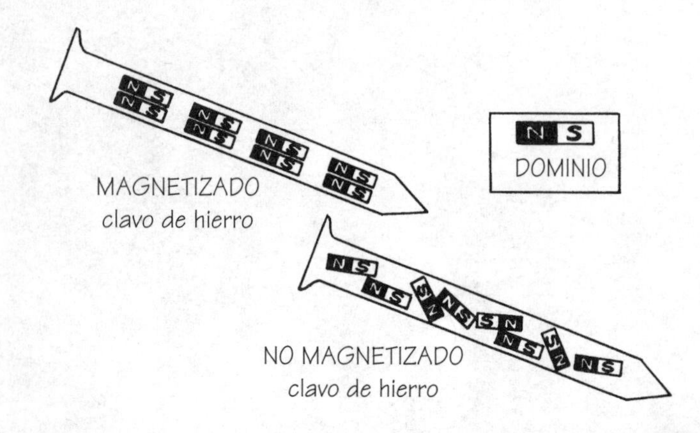

Nadie sabe cuándo se descubrió por primera vez el magnetismo, pero hay indicios de que los chinos, romanos y griegos de la antigüedad tenían conocimiento de este fenómeno. Se cree que los griegos encontraron piedras magnéticas que podían atraer pedazos de hierro en un antiguo sitio llamado Magnesia (en la parte norte de la península griega). Al principio, estas piedras se llamaron "piedras de los magnetes", por el pueblo griego que habitaba en Magnesia. Más tarde, los marinos usaron las piedras para hacer brújulas y las llamaron piedras guía. Hoy se sabe que esta piedra es mineral de hierro y un imán natural llamado **magnetita.**

Hacia el año 1269, un científico francés, Pierre de Maricourt (c. 1220-1290), descubrió que la piedra imán tenía dos regiones donde se concentraba la fuerza. Descubrió que estas regiones, a las que llamó polos, se **repelían** (se rechazaban) o se **atraían** (se acercaban). Hoy se sabe que éstas son las regiones, una en cada extremo del imán, donde el campo magnético es más intenso. Se les llama **polos magnéticos**; un polo magnético es el **polo norte** y el otro es el **polo sur.** Los polos iguales (norte y norte o sur y sur) se repelen, mientras que los polos diferentes (norte y sur) se atraen.

En 1600, el físico y científico inglés William Gilbert (1544-1603) confirmó estos descubrimientos y concluyó, acertadamente, que la Tierra en sí misma es un imán, lo que explica por qué un extremo de la aguja magnetizada de una brújula (instrumento para orientarse) siempre apunta hacia el **polo norte magnético** de la Tierra (el sitio cerca del Polo Norte que atrae al polo norte de todos los imanes). El otro extremo de la aguja de la brújula, el polo sur, apunta hacia el **polo sur magnético** de la Tierra (el sitio cerca del Polo Sur que atrae al polo sur de todos los imanes).

Durante la década de 1830, el científico inglés Michael Faraday (1791-1867) introdujo la idea de **líneas de fuerza magnética** (un patrón de líneas que representan el campo magnético alrededor de un imán). Estas líneas se extienden en el espacio que rodea un imán, y van del polo norte al polo sur.

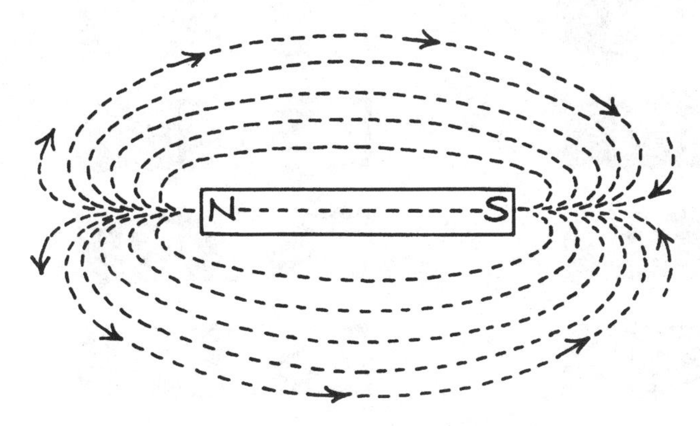

Líneas de fuerza magnéticas

ACTIVIDAD: MAGNÉTICO

Objetivo

Hacer un modelo de materiales magnetizados y no magnetizados.

Materiales

copia de "Patrones de dominios", página 104
tijeras
lápiz adhesivo
dos piezas de cartón corrugado de 5 × 15 cm (2 × 6 pulgadas)
marcador
3 tarjetas de archivo de color sin rayas de 7.5 × 12.5 cm (3 × 5 pulgadas)

Procedimiento

1. Saca una fotocopia de los patrones de dominios.

2. Recorta 18 de los patrones de dominios pequeños.

3. Con el lápiz adhesivo, pega nueve de los patrones de dominios en una de las piezas de cartón. Los dominios se tienen que acomodar de manera uniforme en el cartón, con los polos iguales de cada dominio orientados en la misma dirección. Escribe el título "Material magnético magnetizado" en el cartón.

4. Con el lápiz adhesivo, pega al azar los nueve dominios pequeños restantes sobre la otra pieza de cartón. Escribe el título "Material magnético no magnetizado" en el cartón.

5. Con el marcador, escribe la leyenda "Dominio" en la tarjeta de archivo. Luego, recorta el patrón de dominio grande y pégalo sobre la tarjeta.

PATRONES DE DOMINIO

Resultados

Acabas de hacer un modelo de los dominios en materiales magnéticos magnetizados y no magnetizados.

¿Por qué?

Si un imán se rompe en muchos pedazos, cada pedazo por más pequeño que sea tendrá un polo norte y un polo sur. Si los pedazos se siguen rompiendo hasta que sólo queden átomos, cada átomo puede actuar como un diminuto imán. Sólo los átomos de los materiales magnéticos actúan como imanes. Un grupo de muchos millones de esos diminutos imanes atómicos alineados paralelamente entre sí con sus polos apuntando en la misma dirección forman un dominio magnético. Los materiales magnéticos contienen dominios, mientras que en los materiales no magnéticos no están presentes. Si los dominios no guardan un orden específico, se dice que el material magnético no está magnetizado. Pero, si los dominios se alinean de manera paralela entre sí con sus polos apuntando en la misma dirección, se dice que este material magnético está magnetizado.

¡POR TU CUENTA!

Los modelos magnetizados y no magnetizados y la leyenda pueden presentarse en un exhibidor de caja. Consulta las instrucciones para hacer este exhibidor en el apéndice 4. Pega los modelos y la leyenda en la sección central del exhibidor, como se muestra en la figura. Escribe con mayúsculas un título, como "EN FILA INDIA", en la parte superior del exhibidor.

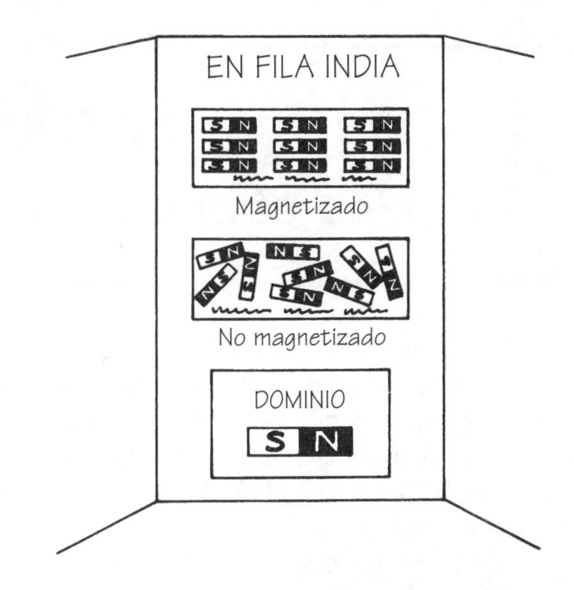

En las secciones laterales del exhibidor, puedes presentar modelos que muestran la fuerza de repulsión entre polos iguales de un imán y la fuerza de atracción entre polos diferentes. Escribe en tarjetas de archivo sin rayas la información sobre las fuerzas de atracción y repulsión entre polos y pégalas en el exhibidor abajo de cada modelo.

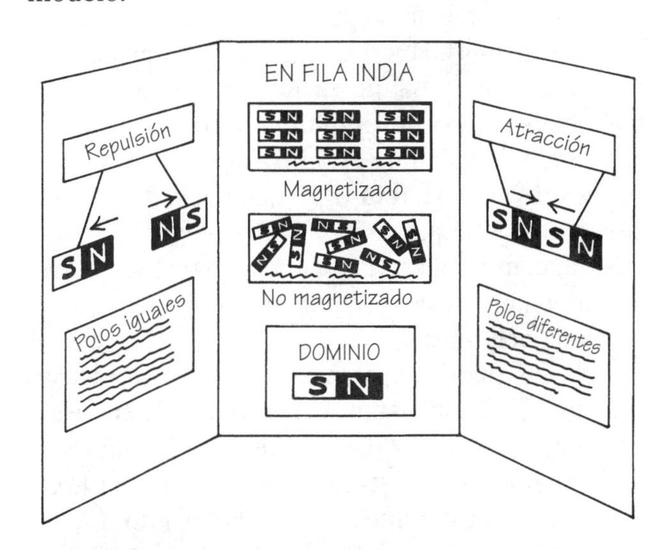

BIBLIOGRAFÍA RECOMENDADA

Callan, Jim, *Sorpréndete con los grandes científicos*, México, Editorial Limusa.
Schulz, Charles M., *Enciclopedia de Carlitos: Electricidad y magnetismo*, México, Editorial Junior.
VanCleave, Janice, *Guía de los mejores proyectos para la feria de ciencias*, México, Editorial Limusa.

25

Más fácil

¡Haz el modelo de una máquina simple!

Tal como lo definen los científicos, se realiza trabajo cuando un objeto se mueve como consecuencia de una fuerza. La cantidad de trabajo realizado es el producto de la fuerza aplicada al objeto y la distancia que el objeto recorre. Así, la ecuación del trabajo es:

Trabajo (T) = fuerza (F) × distancia (d).

Cuando la fuerza se mide en newtons y la distancia en metros, la unidad de trabajo es newton-metro o joule (J). Por ejemplo, si levantas una roca 1 metro usando 10 newtons de fuerza, haces un trabajo de 10 joules.

Una **máquina** es un aparato que te ayuda a hacer un trabajo. Puesto que el trabajo es la fuerza multiplicada por la distancia, una máquina te ayuda al cambiar la cantidad o la dirección de una fuerza aplicada y/o la dirección en que se mueve el objeto. La fuerza aplicada a una máquina se llama **potencia** (P), y la fuerza contra la que tú y la máquina están trabajando es la **fuerza de resistencia** (F_R), que suele ser el peso del objeto que se va a mover. Algunas máquinas multiplican la potencia, lo que significa que un objeto pesado se puede mover con una potencia pequeña.

Hay dos tipos de distancia presentes al realizar trabajo. Una es la distancia a través de la cual se aplica la potencia, llamada **distancia de esfuerzo** (d_E). La otra es la **distancia de resistencia** (d_R), que es la distancia que se mueve el objeto. La **ventaja mecánica (VM)** de una máquina es el número de veces que la máquina incrementa la potencia. Si la ventaja mecánica es 1, la potencia es igual a la fuerza de resistencia. Si es mayor que 1, la potencia multiplicada por la ventaja mecánica es igual a la fuerza de resistencia. La ventaja mecánica se puede determinar usando ya sea los dos tipos de fuerza o los dos tipos de distancia. Por tanto, las dos ecuaciones de la ventaja mecánica son: $VM = (d_E)/(d_R)$ y $VM = (F_R)/(P)$. La fricción reduce la ventaja mecánica de una máquina.

Hay seis tipos de **máquinas simples** (las más básicas): plano inclinado, cuña, tornillo, palanca, torno y polea. El **plano inclinado** es la más simple de todas las máquinas, y consiste en una rampa, o un dispositivo similar en forma de cuña, que facilita la realización de una cantidad de trabajo dada. **Inclinado** significa en declive y **plano** significa *liso*, de manera que cualquier superficie lisa en declive, como una tabla levantada en uno de sus extremos, es un plano inclinado. La longitud del plano es la distancia de esfuerzo, y la altura a la que se levanta el plano es la distancia de resistencia. Una rampa, como las que se usan para las sillas de ruedas, es un plano inclinado.

A = Distancia de esfuerzo
B = Distancia de resistencia

Una **cuña** es un plano inclinado que se mueve. En un plano inclinado el material sube por él, pero una cuña se mueve a través del material. Ambos tienen superficies en declive. Por ejemplo, un clavo es una cuña. Cuando se clava en una tabla, el extremo puntiagudo o en declive del clavo atraviesa el material de la tabla.

Un **tornillo** es un plano inclinado alrededor de un cilindro, el cual forma resaltos en espiral. Los tornillos se parecen a las escaleras de caracol. Un tornillo gira, y con cada vuelta avanza determinada distancia dentro de un material. La distancia que avanza el tornillo depende del **paso** (la separación entre la rosca, que está formada por los resaltos alrededor del tornillo). Entre menor sea el paso, menor será la distancia que avance el tornillo, pero mayor será su ventaja mecánica. Por tanto, es más fácil hacer girar un tornillo con un paso pequeño.

Una **palanca** es una barra rígida que puede girar libremente alrededor de un punto fijo llamado **fulcro** (punto de apoyo alrededor del cual gira la palanca). Las palancas se dividen en tres grupos: de primera, de segunda y de tercera clase. Las clases se establecen con base en el sitio donde se localiza el fulcro, la fuerza de resistencia y la potencia, como se muestra en los diagramas.

PALANCAS

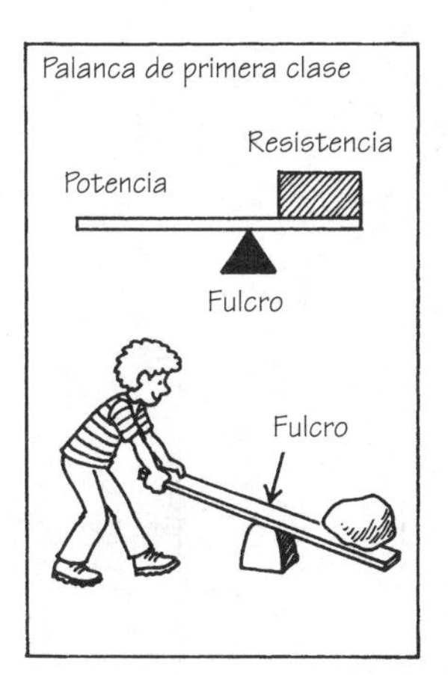

Un **torno** es una palanca que gira en círculo. Un torno consta de partes que se mueven en dos círculos: una es el eje, el cual se mueve en un círculo pequeño, y la otra es una rueda, la cual se mueve en un círculo más grande. La rueda no siempre se parece a una rueda de automóvil. Por ejemplo, un destornillador, un volante de automóvil y la manivela del diagrama son ejemplos de una máquina de torno. Cuando le das vuelta a la manivela, la potencia se mueve en un círculo más grande que el del eje. En este caso, la distancia de esfuerzo es mayor que la distancia de resistencia. Por ejemplo, la distancia de esfuerzo al girar la manivela sería mayor que la distancia de resistencia que se mueve la cubeta. Mientras mayor sea la distancia de esfuerzo, menor será la potencia que se necesita para girar la manivela.

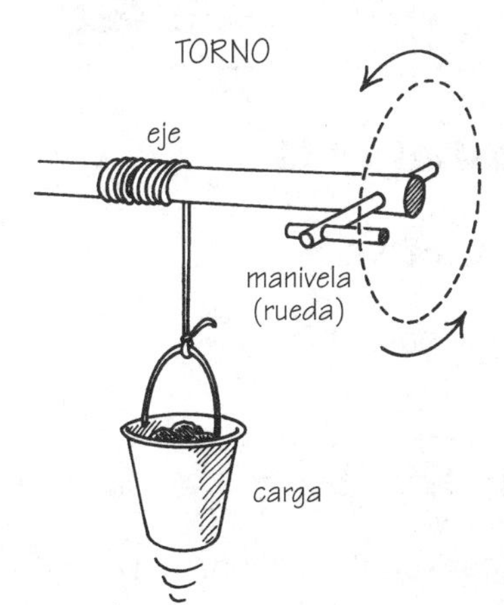

Una **polea** es una palanca que gira alrededor de un punto fijo. Consta de una rueda, por lo general acanalada, que sostiene una cuerda. Si no se toma en cuenta la fricción, el número de cuerdas de soporte de una polea es igual a su ventaja mecánica. Las poleas pueden ser fijas o móviles. Una **polea fija** se sujeta en un sitio. Una polea fija no reduce la cantidad de potencia necesaria para mover un objeto, pero facilita el trabajo al cambiar la dirección de la fuerza. La polea fija del diagrama tiene una cuerda que carga el peso, por lo que su ventaja mecánica es 1. Pero es más fácil jalar una cuerda hacia abajo para levantar un objeto que levantarlo directamente.

Una **polea móvil** se sujeta al objeto que se desea mover. A medida que se jala la cuerda, la polea y el objeto se mueven. En el diagrama, la polea móvil tiene dos cuerdas de soporte, A y B. Así, la ventaja mecánica es 2 y sólo necesitas aplicar la mitad de la potencia para levantar un objeto.

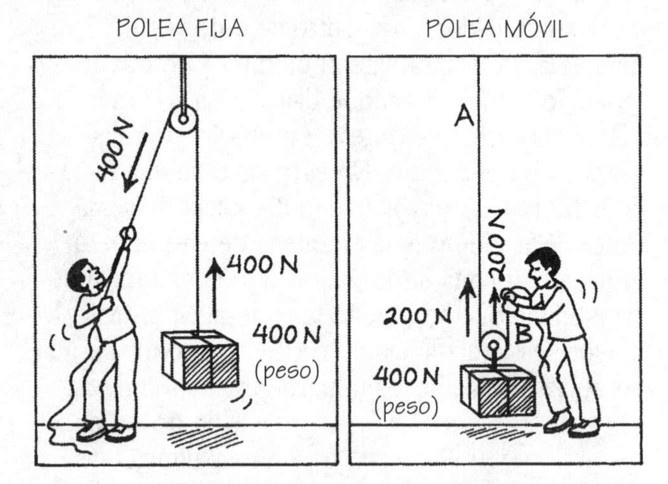

ACTIVIDAD: FIJA

Objetivo

Hacer el modelo de una polea fija.

Materiales

exibidor de caja (consulta el apéndice 4)
bolígrafo
palito de madera de 90 cm (36 pulgadas) (de diámetro bastante pequeño para que quepa en el agujero de un carrete de hilo)
carrete de hilo grande vacío
clip
regla
tijeras
cordel
vaso de papel de 90 ml (3 onzas)

Procedimiento

1. Prepara un exhibidor de caja siguiendo las instrucciones del apéndice 4.

2. Con el bolígrafo, haz un agujero en medio de cada sección lateral, a unos 5 cm (2 pulgadas) del borde superior. Agranda los agujeros con el bolígrafo para que sean aproximadamente del tamaño del palito.

3. Introduce el palito en uno de los agujeros del exhibidor. Introduce el palito en el agujero del carrete de hilo y, después, por el agujero de la otra sección del exhibidor. El carrete debe poder girar libremente sobre el palito. Pídele a un adulto que corte el sobrante del palito.

4. Abre el clip para formar un gancho, como se muestra en la figura. Corta un trozo de cordel de 1 m (3 pies) y ata un extremo al clip.

5. Con el bolígrafo, haz un agujero a cada lado del vaso, debajo del borde.

6. Corta un trozo de cordel de 30 cm (1 pie) y ata sus extremos en los agujeros del vaso para formar un asa.

7. Coloca el trozo de cordel de 1 m (3 pies) sobre el carrete de hilo y cuelga el asa del vaso en el gancho formado por el clip. Después, jala el extremo libre del cordel. Observa la distancia que recorre el cordel al jalarlo hacia abajo y la distancia y dirección del movimiento del vaso.

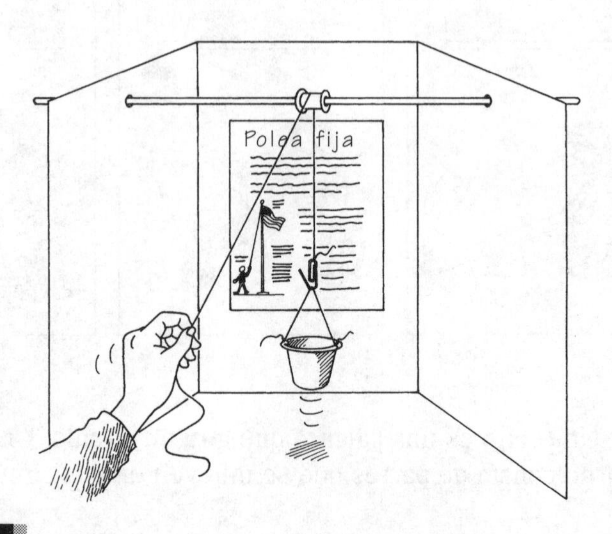

8. Haz una hoja de información sobre las poleas fijas y pégala en la sección central del exhibidor, atrás de tu modelo de una polea fija. La hoja de información puede incluir un ejemplo de polea fija, como izar una bandera en su asta, así como una explicación de cómo funcionan las poleas fijas.

Resultados

Acabas de hacer el modelo de una polea fija.

¿Por qué?

Una **polea fija** es una polea estacionaria en la cual la polea gira a medida que la cuerda se mueve sobre la rueda, y se levanta un peso al jalar la cuerda. En el modelo, el carrete es la polea fija, que gira sobre el palito y la carga es el vaso. Una polea fija facilita el trabajo al cambiar la dirección de la potencia aplicada. Jalas el cordel hacia abajo para levantar la carga.

¡POR TU CUENTA!

Con seis tarjetas de archivo, prepara tarjetas de información sobre las seis máquinas simples básicas, incluyendo definiciones, diagramas y/o ilustraciones que representen cada una de ellas. Fija con pegamento las tarjetas en las secciones laterales del exhibidor, tres en cada lado. El título de tu presentación puede ser "Máquinas simples".

BIBLIOGRAFÍA RECOMENDADA

Cutnell, John D., *Física*, México, Editorial Limusa.

VanCleave, Janice, *Física para niños y jóvenes*, México, Editorial Limusa.

VanCleave, Janice, *Guía de los mejores proyectos para la feria de ciencias*, México, Editorial Limusa.

VanCleave, Janice, *Máquinas para niños y jóvenes*, México, Editorial Limusa.

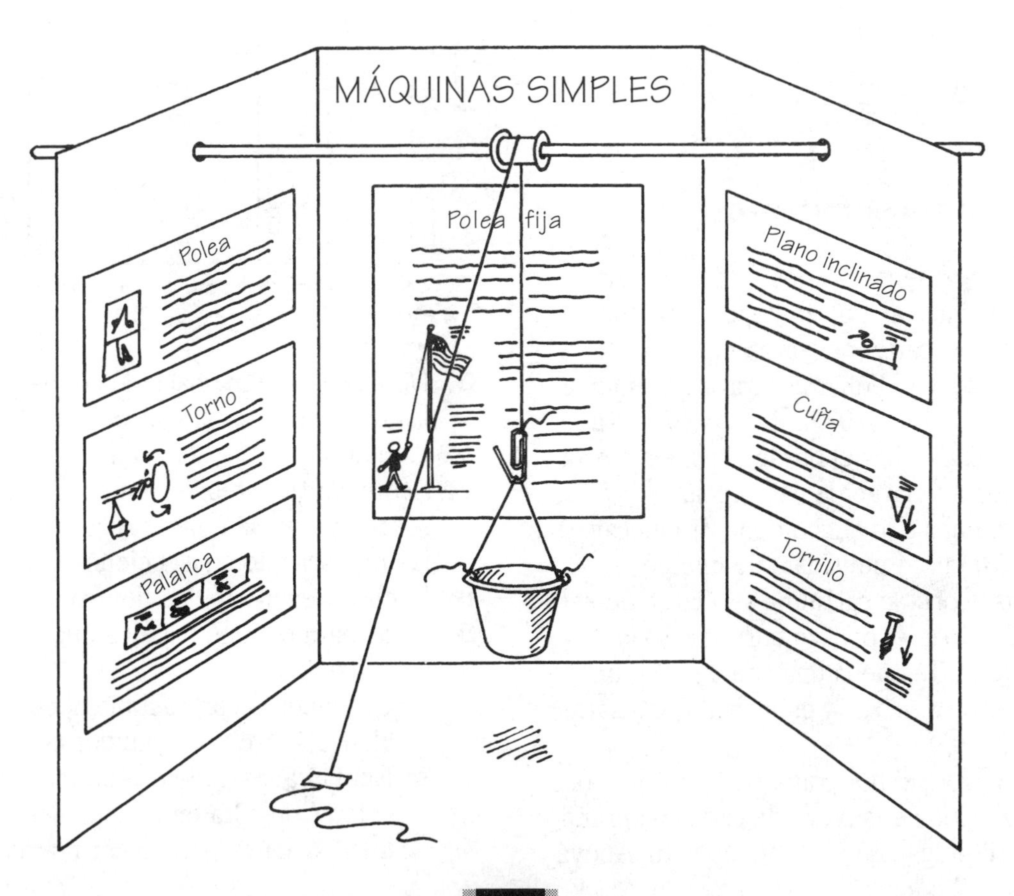

1

Exhibidor de tres secciones

Este exhibidor vertical proporciona tres secciones en las cuales presentar material. La tira con el título permite que el tema de la presentación pueda verse fácilmente. Si necesitas un exhibidor más firme o más grande, consulta el apéndice 4, "Exhibidor de caja", o usa cartón corrugado en lugar de cartulina.

A. EXHIBIDOR VERTICAL ANGOSTO DE TRES SECCIONES CON TIRA PARA EL TÍTULO

Materiales

pegamento
dos hojas de cartulina de 55 × 70 cm (22 × 28 pulgadas)
metro
bolígrafo
tijeras

Procedimiento

1. Une con pegamento las dos piezas de cartulina para formar una pieza de cartulina más rígida. Deja secar el pegamento.
2. Con el metro y el bolígrafo, traza una línea a lo largo del lado de 70 cm de la cartulina a 10 cm (4 pulgadas) del borde superior. Corta la cartulina a lo largo de esta línea.
3. Traza una línea a lo ancho de la tira de cartulina, a 10 cm (4 pulgadas) de uno de los extremos. Corta la cartulina a lo largo de esta línea y descarta el pedazo corto de 10 cm (4 pulgadas). Te queda una tira de cartulina de 10 × 60 cm (4 × 24 pulgadas) que usarás para el título.
4. Con el metro y el bolígrafo, traza dos líneas de arriba abajo de la pieza de cartulina grande, a 20 cm (8 pulgadas) del lado angosto. Apoya con fuerza el bolígrafo sobre la cartulina para remarcarla.
5. Traza dos líneas de 5 cm (2 pulgadas) en la parte superior de las dos secciones laterales y a 10 cm (4 pulgadas) de los extremos. Haz un corte a lo largo de estas líneas para formar las muescas donde se insertará la tira del título.

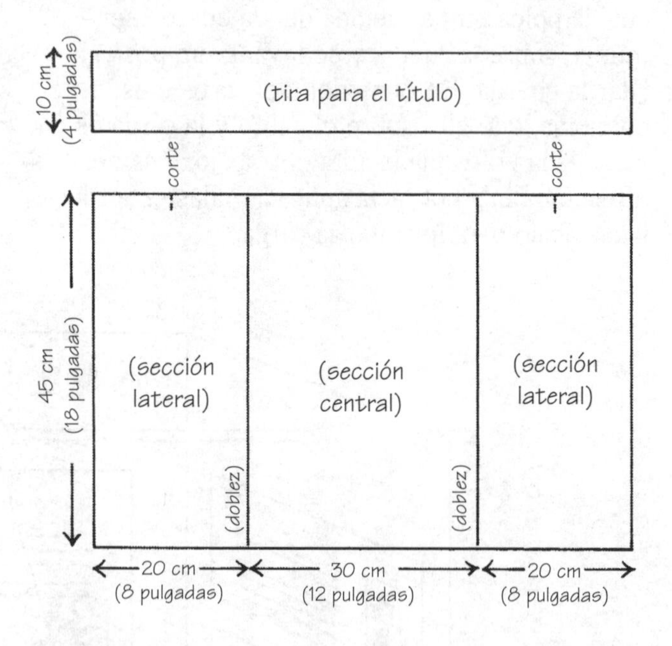

6. Dobla la cartulina hacia el centro a lo largo de las dos líneas remarcadas. Ya tienes un exhibidor de tres secciones.
7. Acomoda tu exhibidor en posición vertical sobre una mesa e inserta la tira del título en las muescas de las secciones laterales.
8. Puedes pegar papeles dentro del exhibidor.
9. Ideas para que los papeles que pegues sean más visibles:
   - Usa colores contrastantes, como papel blanco sobre un exhibidor de color.
   - Enmarca los papeles con materiales de color. Consulta en el apéndice 6 las instrucciones para hacer marcos.

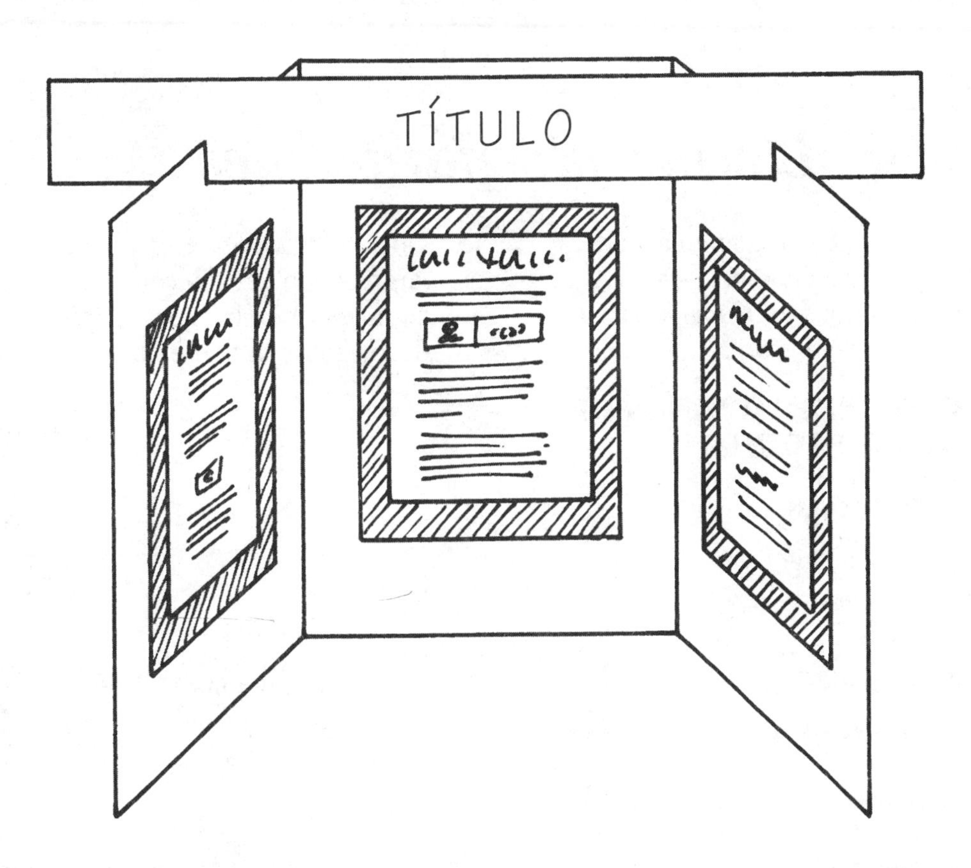

B. EXHIBIDOR VERTICAL ANCHO

Materiales

pegamento
dos piezas de cartulina de 50 × 70 cm
(20 × 28 pulgadas)
metro
bolígrafo
tijeras

Procedimiento

1. Une con pegamento las dos piezas de cartulina para formar una pieza de cartulina más rígida. Deja secar el pegamento.
2. Con el metro y el bolígrafo, traza una línea a lo largo del lado de 70 cm (28 pulgadas) de la cartulina, a 10 cm (4 pulgadas) del borde superior. Corta la cartulina a lo largo de esta línea. Esta tira de cartulina de 10 × 70 cm (4 × 28 pulgadas) servirá para el título.
3. Con el metro y el bolígrafo, traza dos líneas de arriba abajo de la pieza de cartulina grande, a 15 cm (6 pulgadas) del lado angosto. Apoya con fuerza el bolígrafo sobre la cartulina para remarcarla.
4. Traza dos líneas de 5 cm (2 pulgadas) en la parte superior de las dos secciones laterales y a 7.5 cm (3 pulgadas) de los extremos. Haz un corte a lo largo de esas líneas para formar las muescas donde se insertará la tira del título.
5. Dobla la cartulina hacia el centro a lo largo de las dos líneas remarcadas. Ya tienes un exhibidor de tres secciones.
6. Acomoda tu exhibidor en posición vertical sobre una mesa e inserta la tira del título en las muescas de las secciones laterales.
7. Busca ideas para pegar papeles en tu exhibidor en los pasos 8 y 9 de la parte A, "Exhibidor vertical angosto de tres secciones".

2

Libro con separaciones

Los libros con separaciones ofrecen una manera de presentar gran cantidad de información en un espacio reducido. Las orillas escalonadas crean un índice del contenido del libro.

A. LIBRO CON SEPARACIONES DE CUATRO PÁGINAS

Materiales

regla
lápiz
2 hojas de papel carta
cinta adhesiva transparente

Procedimiento

1. Con la regla y el lápiz, haz una marca en el lado izquierdo de cada hoja de papel, a 2.5 cm (1 pulgada) del borde superior.

2. Coloca las dos hojas de papel una encima de la otra, pero alinea el borde superior de la hoja de encima con la marca de lápiz en la hoja de abajo.

3. Toma la parte inferior de la hoja de encima y alinea su borde con la marca de lápiz en su parte superior. Haz presión con los dedos sobre el borde doblado del papel.

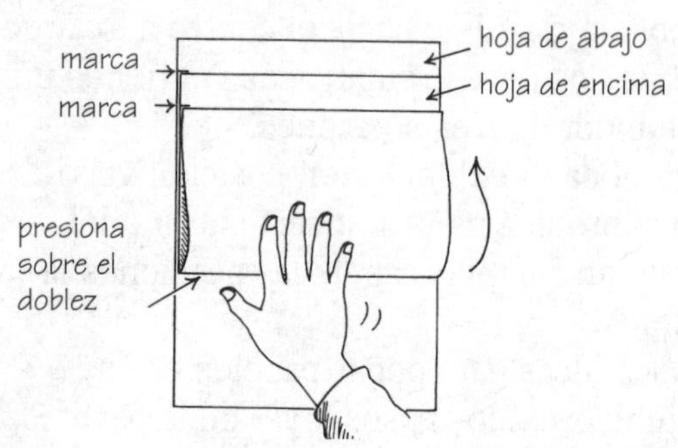

4. Fija con cinta adhesiva el borde doblado al papel que está abajo de éste.

5. Dobla hacia arriba el papel de hasta abajo a lo largo del doblez fijo con cinta adhesiva, como se muestra en la figura. Haz presión con los dedos sobre el borde doblado del papel.

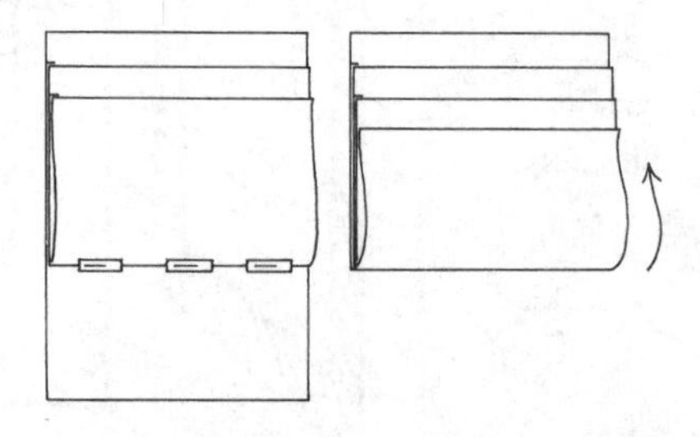

6. Las páginas del libro con separaciones pueden abrirse hacia la izquierda o levantarse, como puedes ver en la figura.

B. LIBRO CON SEPARACIONES DE SEIS PÁGINAS

Repite la parte A usando tres hojas de papel carta.

C. LIBRO CON SEPARACIONES DE OCHO O DIEZ PÁGINAS

1. Para el libro de ocho páginas, usa cuatro hojas de papel y cinco hojas para el libro de diez páginas.

2. Repite los pasos de la parte A haciendo marcas separadas de 1.25 cm (1/2 pulgada) en el paso 1.

3

Libro con ceja

Estos libros cerrados ofrecen la manera de dar grandes cantidades de información sin que tu presentación dé la impresión de estar sobrecargada. El título en la parte de afuera de cada libro indica el tema de la información que contiene en su interior. Es fácil abrir y cerrar cada libro para que la presentación resulte clara y ordenada.

A. LIBRO CON CEJA CHICO

Materiales

tarjeta de archivo sin líneas de 7.5 × 12.5 cm (3 × 5 pulgadas)
regla
bolígrafo

Procedimiento

1. Con la regla y el bolígrafo, traza en la tarjeta de archivo una línea de arriba abajo, a 1.25 cm (1/2 pulgada) del borde inferior del lado angosto. La tira angosta de 1.25 cm (1/2 pulgada) que atraviesa el extremo de la tarjeta será la ceja.
2. Dobla la tarjeta de manera que el extremo del borde angosto quede alineado con la raya de la ceja. Marca el doblez con los dedos.

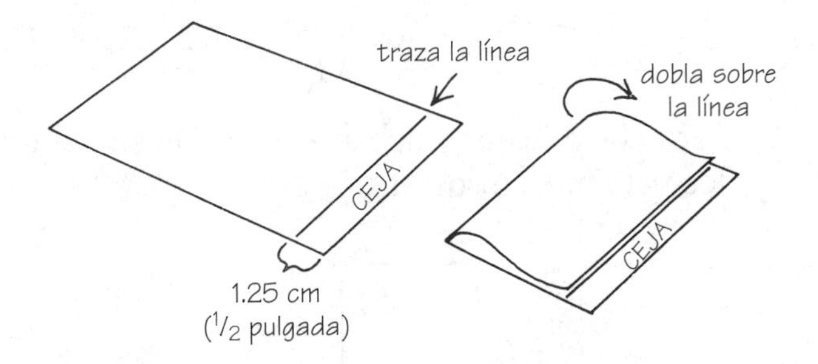

3. Dobla la ceja de 1.25 cm (1/2 pulgada) como se indica en la figura. Marca el doblez con los dedos.
4. Cierra el libro con ceja doblando la ceja sobre el borde angosto de la tarjeta.

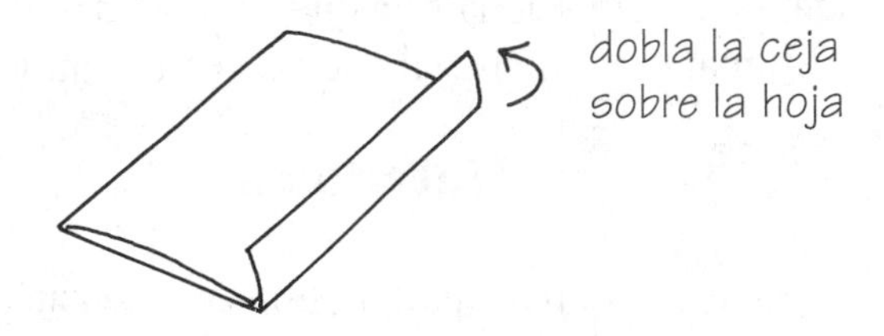

5. Puedes escribir información dentro de cada libro con ceja. Los libros con ceja se pueden pegar en un exhibidor.

B. LIBRO CON CEJA GRANDE

Materiales

hoja de papel carta
regla
bolígrafo

Procedimiento

1. Con la regla y el bolígrafo, traza en el papel una línea a 2.5 cm (1 pulgada) de uno de los lados angostos. La tira de 2.5 cm (1 pulgada) en la parte de abajo del papel será la ceja.
2. Dobla la hoja a la mitad colocando el lado angosto opuesto a la ceja sobre la línea. Marca el doblez con los dedos.
3. Dobla la ceja de 2.5 cm (1 pulgada) como en la parte A. Marca el doblez con los dedos.
4. Cierra el libro con ceja doblando la ceja sobre el lado angosto del papel.
5. Puedes escribir información dentro de cada libro con ceja y puedes pegarlos en tu exhibidor.

4

Exhibidor de caja

Algunas presentaciones requieren un solo exhibidor vertical. Para hacerlo, es fácil usar una caja. El tamaño de la caja que escojas depende del tamaño del material que vas a presentar.

Materiales

caja abierta, por ejemplo una caja de cartón corrugado
metro
tijeras
cinta adhesiva
pegamento
papel para forrar (del color que prefieras)

Procedimiento

1. Desarma la caja separando las juntas de las caras.
2. Recorta las partes del cartón unidas al fondo de la caja y los dos lados más largos. Te queda un exhibidor de tres secciones.

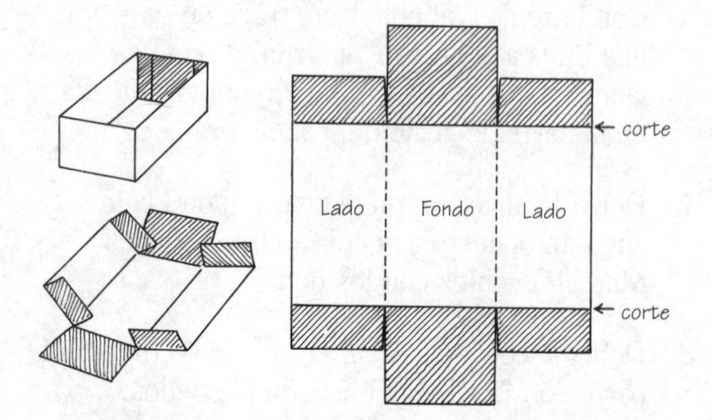

3. Con el metro y las tijeras, corta una pieza de papel para forrar. El largo del papel tiene que ser el doble del ancho del exhibidor más 5 cm (2 pulgadas). El ancho del papel tiene que ser la altura del exhibidor más 10 cm (4 pulgadas).

Por ejemplo, un exhibidor de tres secciones hecho con una caja de papel carta mide 73.75 cm (29.5 pulgadas) de ancho y 42.5 cm (17 pulgadas) de alto. Entonces el tamaño del papel debe ser de:
Largo = (73.75 × 2) + 5 = 152.5 cm (61 pulgadas)
Ancho = 42.5 + 10 = 52.5 cm (21 pulgadas)

4. Coloca el papel sobre una superficie plana como una mesa o el piso.
5. Cubre los bordes del frente y los dobleces del exhibidor con pegamento.
6. Coloca el exhibidor, con la parte que tiene pegamento hacia abajo, en el centro del papel, como se muestra en la figura.
7. Dobla el excedente de papel en los extremos del exhibidor de manera que cubra la parte de atrás de éste. Fija el papel con cinta adhesiva.
8. Dobla el excedente de papel sobre la parte superior e inferior del exhibidor hacia la parte posterior del mismo y fíjalo con cinta adhesiva. Alisa el papel para que forme una cubierta uniforme en el frente del exhibidor.

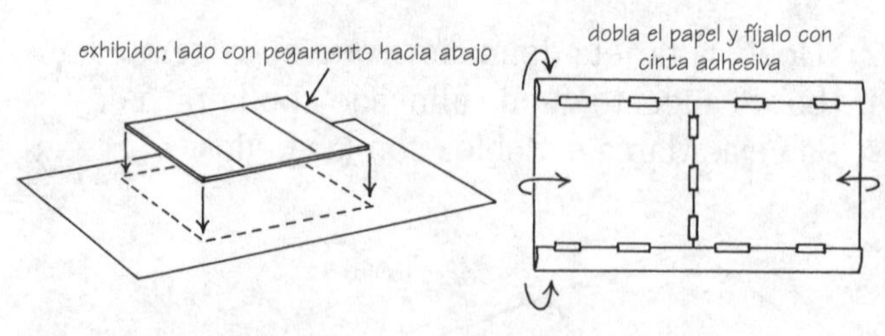

9. Para el exhibidor y dobla las secciones laterales para que se sostenga.

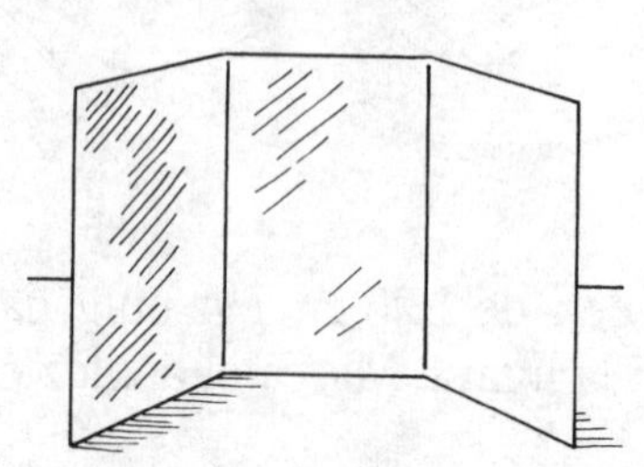

5

Libro de ventanas

Los libros de ventanas permiten presentar hechos en secuencia. También permiten ver una parte de la información por separado.

Materiales

regla
bolígrafo
cartulina cuadrada de 20 × 20 cm (8 × 8 pulgadas)
tijeras
cartulina cuadrada de color (el que prefieras) de 25 × 25 cm (10 × 10 pulgadas)
Nota: pueden usarse cuadrados de cualquier tamaño, pero el cuadrado más grande debe medir 5 cm (2 pulgadas) más que el pequeño.

Procedimiento

1. Con la regla y el bolígrafo, traza dos líneas diagonales en el cuadrado chico desde esquinas opuestas. Cuando traces las líneas, haz presión con el bolígrafo para marcar la cartulina a fin de facilitar los dobleces que se harán más adelante a lo largo de ellas.

2. Marca un punto sobre cada línea, a 2.5 cm (1 pulgada) de la esquina de la cartulina.

3. Con la regla y el bolígrafo, une los puntos con líneas paralelas a los lados del cuadrado. De nuevo, haz presión con el bolígrafo para marcar la cartulina.

4. Dobla el cuadrado chico a lo largo de una de las líneas diagonales.

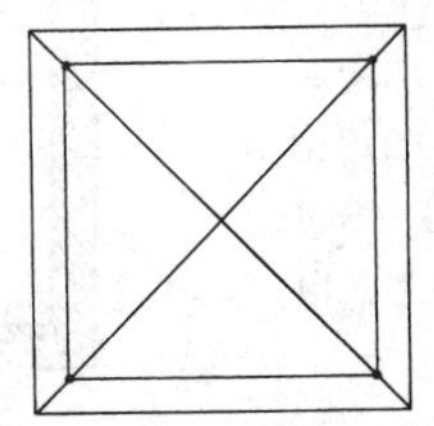

5. Haz un corte desde el doblez hasta el punto, como se muestra en la figura.

6. Desdobla la cartulina y dóblala de nuevo a lo largo de la otra diagonal. Después, repite el paso 5.

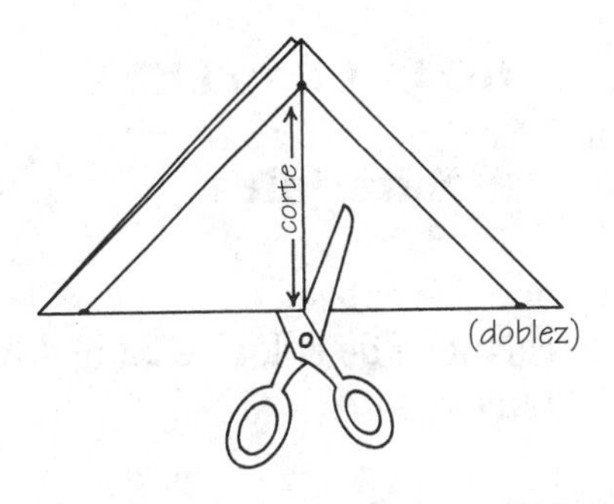

7. Cierra las ventanas y pega el cuadrado chico en el más grande. Para hacerlo, aplica pegamento alrededor de las orillas del cuadrado chico y céntralo dentro del cuadrado grande. Deja secar el pegamento.

8. Dobla hacia afuera las cuatro ventanas triangulares y marca con los dedos el doblez de cada una.

9. El área debajo de cada ventana puede utilizarse para información escrita y/o ilustraciones.

10. Cierra las ventanas. Las ventanas se pueden numerar para indicar el orden en el que tienen que levantarse.

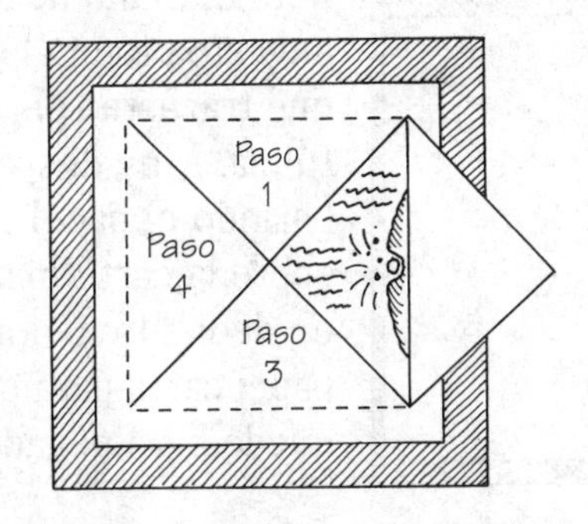

6

Enmarcado

El poner un borde alrededor de hojas con información, ilustraciones y/o diagramas los hace más atractivos que si se presentan solos. El enmarcado hace que la información presentada se vea más clara y también más llamativa.

A. HOJA COMPLETA

Materiales

1 hoja de papel carta blanco
1 pieza de cartulina de color de 22.5 × 30 cm (9 × 12 pulgadas)
lápiz
lápiz adhesivo

Procedimiento

1. Coloca la hoja de papel carta sobre la cartulina.
2. Acomoda la hoja de papel carta de manera que quede bien centrada en la cartulina.
3. Con el lápiz, traza una línea sobre la cartulina siguiendo uno de los lados angostos del papel carta.
4. Retira el papel carta y aplica una franja de pegamento de unos 2.5 cm (1 pulgada) en los cuatro lados de la hoja de papel carta.
5. Coloca el papel carta con el lado con pegamento hacia abajo, de manera que uno de sus bordes angostos toque la línea que trazaste sobre la cartulina. Muy despacio, ve bajando el papel carta sobre la cartulina. Frota un dedo alrededor del papel carta para que quede bien pegado.

Hoja entera enmarcada

B. MEDIA HOJA LARGA

Materiales

1 hoja de papel carta
tijeras
pieza de cartulina de color de 12.5 por 30 cm (5 por 12 pulgadas)
lápiz adhesivo

Media hoja larga enmarcada

Procedimiento

1. Dobla el papel carta a la mitad a lo largo.
2. Desdobla el papel y corta a lo largo del doblez.
3. Usando sólo la mitad de la hoja de papel, repite los pasos 1 al 5 de la parte A.

C. MEDIA HOJA CORTA

Materiales

hoja de papel carta
tijeras
pieza de cartulina de color de 17.5 × 25 cm (7 × 10 pulgadas)
lápiz adhesivo

Procedimiento

1. Dobla el papel carta a la mitad a lo ancho.
2. Desdobla el papel y corta a lo largo del doblez.
3. Usando sólo la mitad de la hoja de papel, repite los pasos 1 al 5 de la parte A.

Media hoja enmarcada

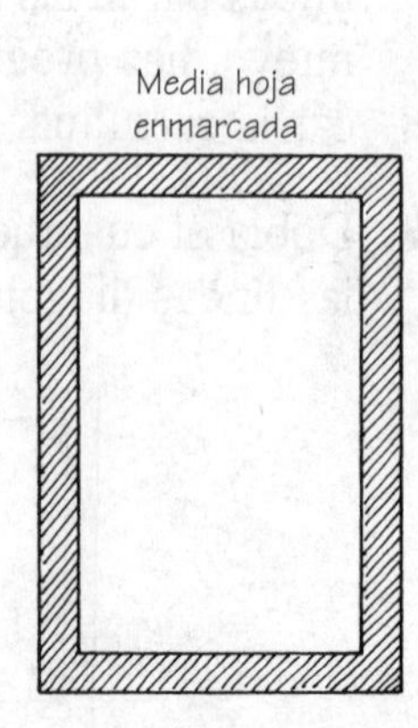

7

Atril en forma de tienda

Algunas informaciones, como las leyendas y/o tarjetas de información para modelos tridimensionales, necesitan presentarse en un apoyo inclinado. Un atril en forma de tienda te permite cambiar la tarjeta de información en caso necesario durante una presentación oral.

Materiales

lápiz
regla
hoja de cartulina de 15 × 32.5 cm
(6 × 13 pulgadas)
cinta adhesiva transparente

Procedimiento

1. Con el lápiz y la regla, traza cuatro líneas a lo ancho de la cartulina. Midiendo a partir de uno de los lados angostos, traza líneas a 2.5 cm (1 pulgada), 10 cm (4 pulgadas), 20 cm (8 pulgadas) y 30 cm (12 pulgadas) de este lado.
2. Dobla la cartulina a lo largo de las líneas A, B y C, como se muestra en la figura.

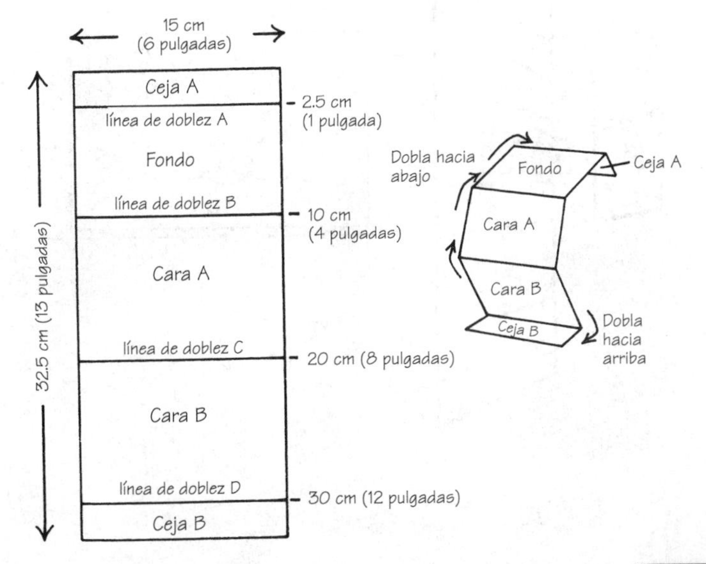

3. Dobla la cartulina a lo largo de la línea D, como se muestra en la figura.
4. Con cinta adhesiva, fija la ceja A en la parte de atrás de la cara B, como se muestra en la figura.

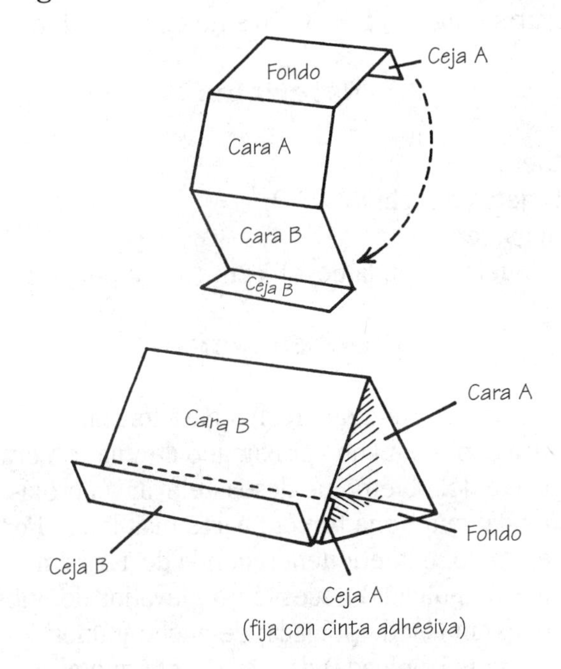

5. Pon el atril sobre su base y dobla la ceja B para formar un apoyo. En este atril pueden colocarse tarjetas de información o hasta pequeños modelos.

8

Elevador

Se utiliza una tira de cartulina en forma de acordeón para levantar figuras planas y así formar un diagrama tridimensional. Se fija un extremo del elevador en el segundo plano (es decir, en el diagrama) y la ilustración o el dibujo que se decide elevar se fija en el otro extremo del elevador.

Materiales

tijeras
tarjeta de archivo
pegamento
etiqueta redonda de 1.85 cm (3/4 de pulgada)

Procedimiento

1. Corta la tarjeta de archivo para formar una tira con un ancho aproximado de una tercera parte del objeto que deseas elevar y aproximadamente una tercera parte más larga. Por ejemplo, una etiqueta redonda de 1.85 cm (3/4 de pulgada) necesita un elevador de unos 0.65 cm (1/4 de pulgada) de ancho y unos 2.5 cm (1 pulgada) de largo. Nota que el tamaño de la tira no tiene que ser exacto.

2. Dobla la tira en acordeón formando una figura en N. Éste es tu elevador.

3. Pon una gota de pegamento en un extremo de tu elevador y presiónalo contra la parte del diagrama donde quieres colocar la figura que deseas elevar.

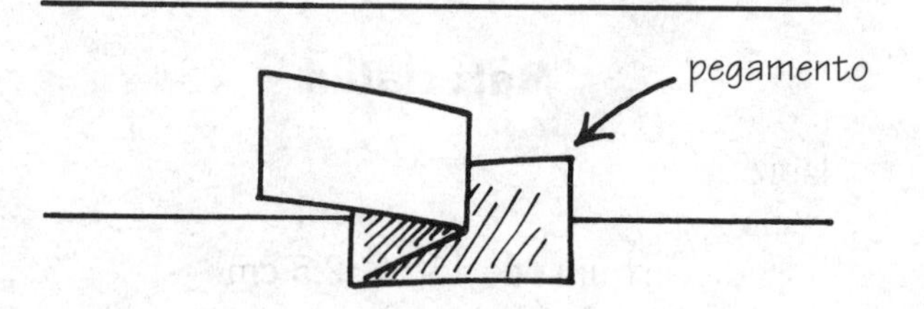

4. Deja secar el pegamento. Después pega la etiqueta en el otro extremo del elevador. Si el objeto que quieres elevar no tiene un lado engomado (como una etiqueta autoadherible), usa pegamento para fijarlo en este extremo del elevador.

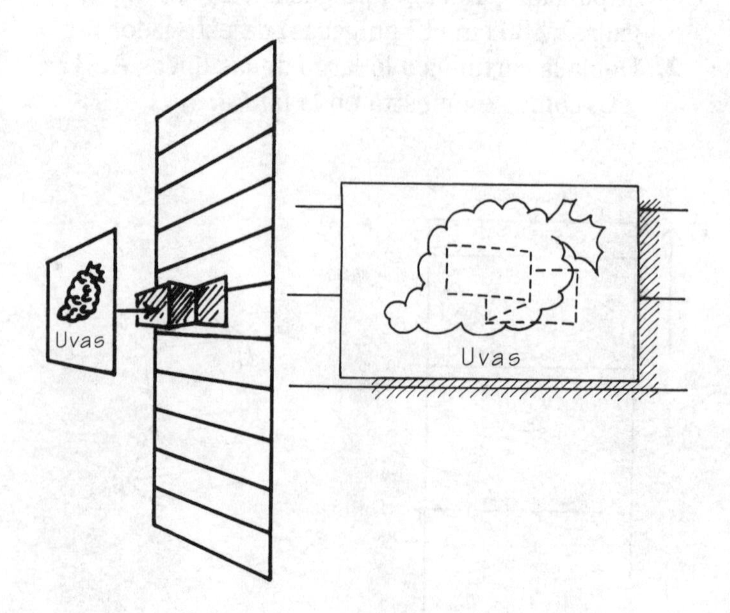

9

Pirámide

Un exhibidor en forma de pirámide puede usarse con la punta hacia arriba o apoyado en un lado. Con la punta hacia arriba, la pirámide puede apoyarse en su base abierta o colgarse de su vértice, lo que deja libres tres lados para presentar información. Cuando está colgado, puede utilizarse como un móvil con objetos colgados a cada lado. Apoyada sobre un lado, la pirámide es un exhibidor con dos secciones para presentar información y una base sobre la cual pueden colocarse modelos.

A. PIRÁMIDE DE PAPEL

Materiales

hoja de papel carta
tijeras
cinta adhesiva transparente

Procedimiento

1. Dobla el papel como se muestra en la figura, con su borde superior contra un lado adyacente. Marca el doblez con los dedos.

2. Corta y descarta de la tira sobrante de abajo.

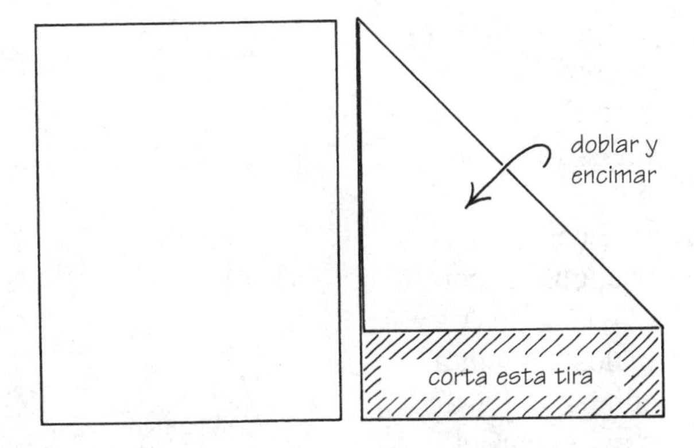

3. Desdobla el papel y dóblalo de nuevo en diagonal del otro lado. Marca el doblez con los dedos. Desdobla el papel.

4. Corta a lo largo de uno de los dobleces hasta el centro del papel para formar los triángulos A y B, como se muestra en la figura.

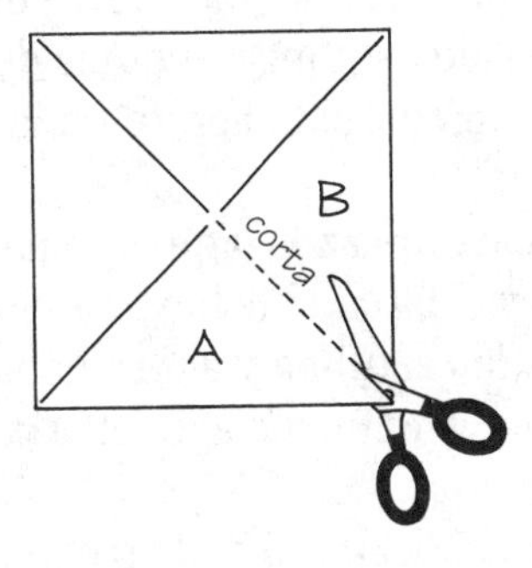

5. Dobla el papel sobre la diagonal con el corte hasta que el triángulo A coincida exactamente con el triángulo B. Fija los triángulos con cinta adhesiva.

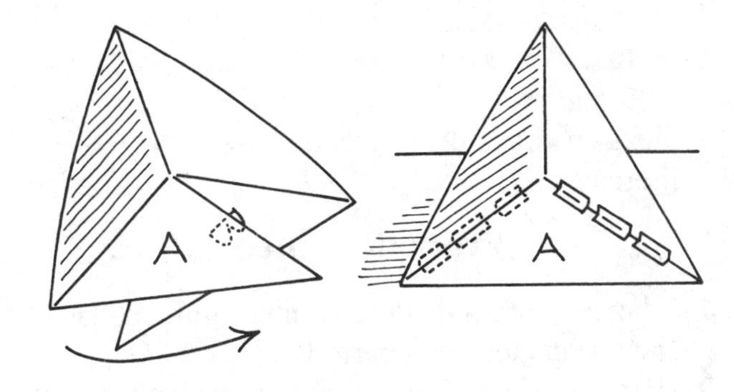

6. Apoya la estructura de papel sobre su base hueca y ya tienes una pirámide.

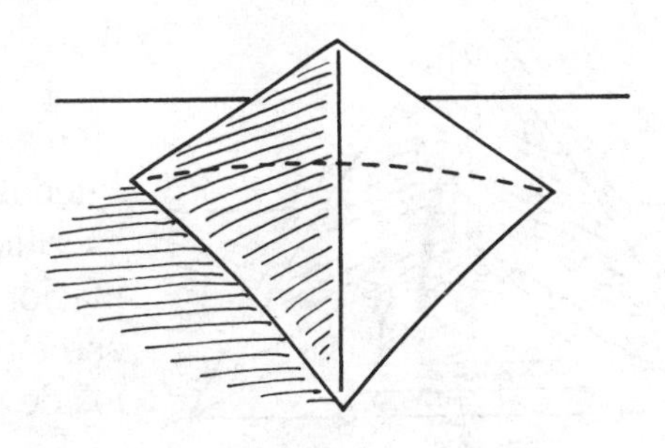

B: PIRÁMIDE DE CARTULINA

Materiales

metro
bolígrafo
pieza cuadrada de cartulina
tijeras

Procedimiento

1. Con la regla y el bolígrafo, traza dos líneas diagonales de esquina a esquina de la cartulina. Haz presión con el bolígrafo en la cartulina para marcarla.
2. Dobla la cartulina a lo largo de una de las líneas diagonales. Marca el doblez con los dedos.
3. Desdobla la cartulina y ahora dóblala a lo largo de la otra línea diagonal. Marca el doblez con los dedos.
4. Sigue los pasos 4 al 6 de la parte A, "Pirámide de papel".

C. EXHIBIDOR DE CARTULINA EN FORMA DE PIRÁMIDE

Materiales

metro
bolígrafo
pieza cuadrada de cartulina
tijeras

Procedimiento

1. Haz una pirámide de cartulina siguiendo las instrucciones de la parte B.
2. Para usar la pirámide como exhibidor, colócala sobre uno de sus lados.
3. Si deseas pegar información en tu pirámide, corta una hoja de papel carta en dos en diagonal. Puedes escribir información sobre estos triángulos de papel carta y pegarlos dentro de la pirámide como se muestra en la figura.

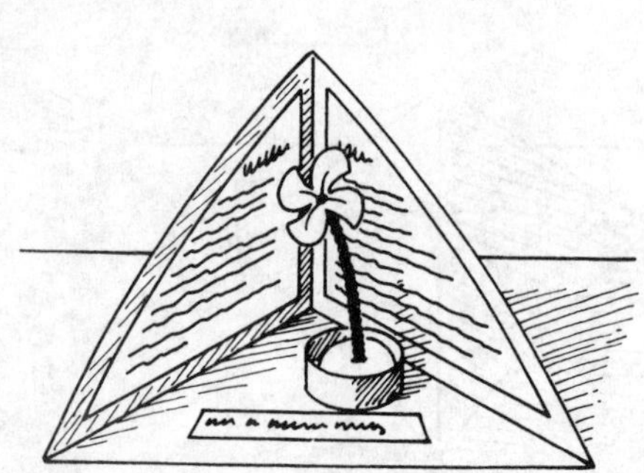

4. Ideas para hacer más visibles los papeles pegados:
   - Usa colores contrastantes, como papel carta blanco y cartulina de color.
   - Enmarca el papel carta con material de color. Consulta las instrucciones para enmarcar en el apéndice 6.

D. PIRÁMIDE COLGANTE

Materiales

tijeras
regla
cordel
pirámide de papel o cartulina de la parte A o la parte B
cinta adhesiva transparente

Procedimiento

1. Mide y corta un pedazo de cordel por lo menos 10 cm (4 pulgadas) más largo que lo necesario para colgar tu exhibidor.
2. Abre la pirámide y, con cinta adhesiva, fija el cordel a la cara B, como se muestra en la figura.
3. Haz coincidir el triángulo B con el triángulo A y fíjalos con cinta adhesiva. Pega o ata el cordel en un soporte para colgar la pirámide.

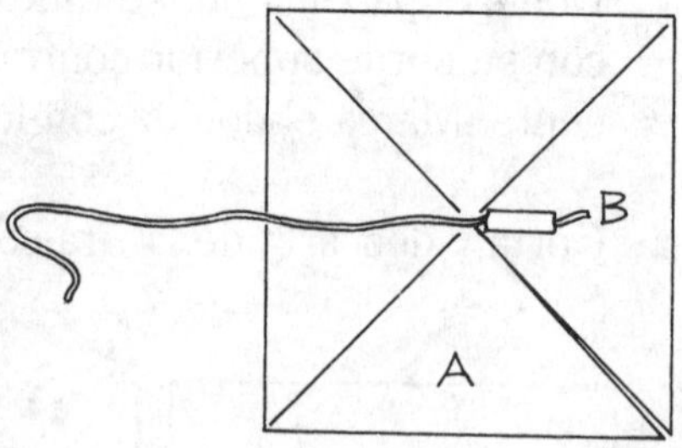

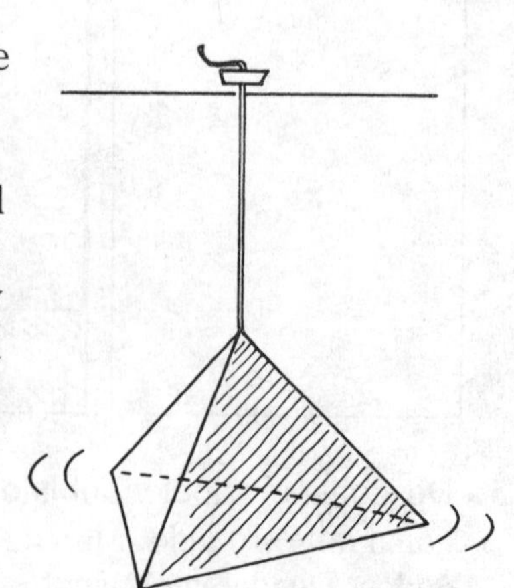

10

Modelos a escala

Este procedimiento te permite determinar la escala de un modelo más pequeño que el objeto real.

Materiales

calculadora
papel
lápiz
compás

Procedimiento

1. Observa la medida más grande y la más pequeña y después determina qué escala aplicarás a tu modelo. Por ejemplo, los tres estratos de la Tierra tienen estas medidas:

núcleo: diámetro = 6800 km (4259 millas)
manto: ancho = 2900 km (1812 millas)
corteza: ancho = de 5 a 70 km (3 a 44 millas)

La medida de la corteza es tan pequeña que no se puede tomar en cuenta al determinar la escala. Así que la corteza puede ser una angosta capa sin medida exacta en tu modelo. En consecuencia, considerando únicamente las medidas del diámetro del núcleo y del ancho del manto, experimenta con las escalas. Para hacer modelos a escala, es mejor usar medidas métricas, ya que las subdivisiones de un número entero se miden con facilidad. Puesto que las medidas del núcleo y del manto son ambas superiores a 1000 km, podría usarse una escala de 1 cm = 1000 km. Usa esta escala para calcular el tamaño de cada parte. Para ello, multiplica el tamaño real de cada parte por la escala, 1/1000:

- Tamaño del núcleo:
  6800 × 1 cm/1000 km = 6.8 cm
- Tamaño del manto:
  2900 km × 1 cm/1000 km = 2.9 cm

2. Dibuja un diagrama que muestre cada parte y su tamaño a escala. En el dibujo que ves abajo, el diámetro de la capa externa se calculó como 12.6 cm (5 pulgadas). Un modelo al que se le agregue una delgada capa para representar la corteza seguiría midiendo menos de 15 cm (6 pulgadas) de diámetro.

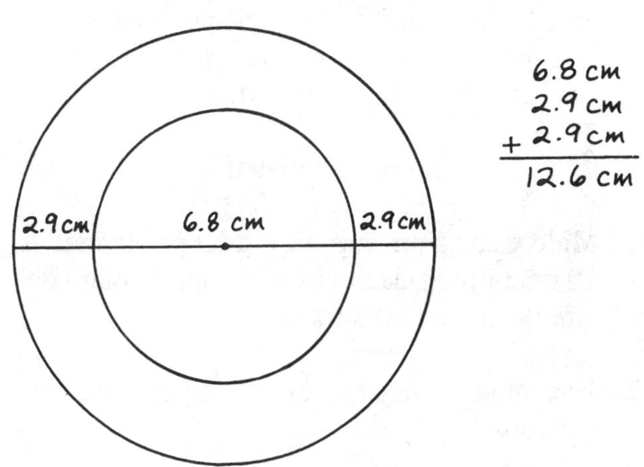

3. Para hacer un modelo dos veces más grande, usa una escala que sea la mitad de la anterior. Por ejemplo, para hacer un modelo con un diámetro aproximado de 30 cm (12 pulgadas), usa la siguiente escala: 1 cm/500 km.

- Tamaño del núcleo
  6800 × 1 cm/500 km = 13.6 cm
- Tamaño del manto:
  2900 km × 1 cm/500 km = 5.8 cm

El diámetro de este modelo sería de:
13.6 cm + 5.8 cm + 5.8 cm = 25.2 cm.

11

Círculo grande

Los transportadores son muy útiles para dibujar círculos pequeños, pero usa el siguiente procedimiento para trazar círculos grandes.

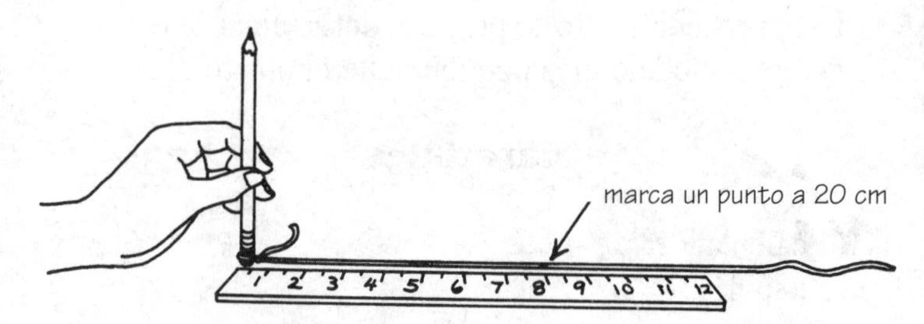

Materiales

regla
tijeras
cordel
2 lápices
marcador
cinta adhesiva transparente
papel [con un ancho y largo de por lo menos 2.5 cm (1 pulgada) mayores que el diámetro del círculo que se quiere trazar]

Procedimiento

1. Mide y corta un trozo de cordel por lo menos 10 cm (4 pulgadas) más largo que el radio del círculo que quieres trazar.

2. Haz un nudo, dejando un lazo en un extremo del cordel.

3. Pon la regla sobre una mesa. Coloca el cordel junto a ella con el lazo en el extremo del cero de la regla.

4. Introduce el extremo con goma de un lápiz en el centro del lazo.

5. Con el marcador, haz un punto en el cordel a una distancia igual a la del radio del círculo que quieres trazar. Por ejemplo, en el diagrama el punto se marcó a 20 cm (8 pulgadas). Mantén el cordel bien estirado.

6. Empezando en el punto sobre el cordel, fija con cinta adhesiva la punta del segundo lápiz en el extremo libre del cordel.

7. Pon el papel sobre la mesa. Estira el cordel sobre el papel con el lazo en su centro.

8. Introduce en posición vertical el primer lápiz en el lazo, con la goma hacia abajo.

9. Jala hacia afuera el lápiz fijo en el cordel para tensarlo.

10. Haz girar el lápiz fijo al cordel, apoyando la punta contra el papel hasta haber trazado un círculo completo. El radio del círculo será igual al largo del cordel.

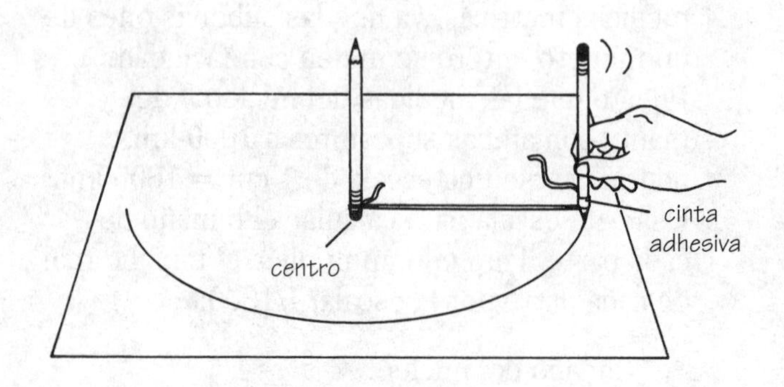

12

Exhibidor circular

Con este procedimiento puedes construir un exhibidor para tarjetas de información hechas con tarjetas de archivo u otro material rígido. Este exhibidor puede colocarse junto a modelos tridimensionales.

Materiales

regla
lápiz
tira de cartulina de 7.5 × 25 cm
(3 × 10 pulgadas)
tijeras
cinta adhesiva transparente

Procedimiento

1. Con la regla y el lápiz, traza un rectángulo de 2.5 × 10 cm (1 × 4 pulgadas) en el centro de uno de los lados largos de la tira de cartulina.

2. Recorta el rectángulo y descártalo. Haz un corte de 1.25 cm (1/2 pulgada) de largo en las dos esquinas inferiores de donde se recortó el rectángulo, como se muestra en la figura.

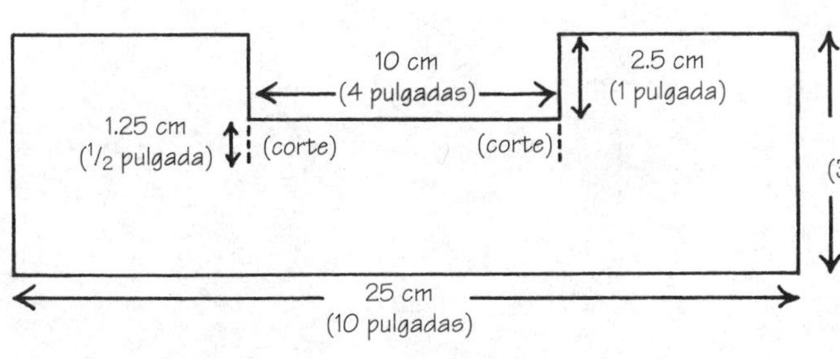

3. Con cinta adhesiva, une los dos extremos de la tira de cartulina, formando un círculo. Acabas de hacer un exhibidor circular.

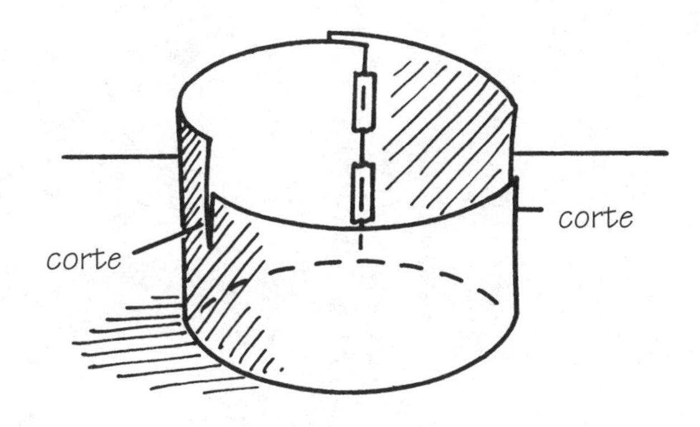

4. Para usar el exhibidor circular, inserta una tarjeta de información en los cortes.

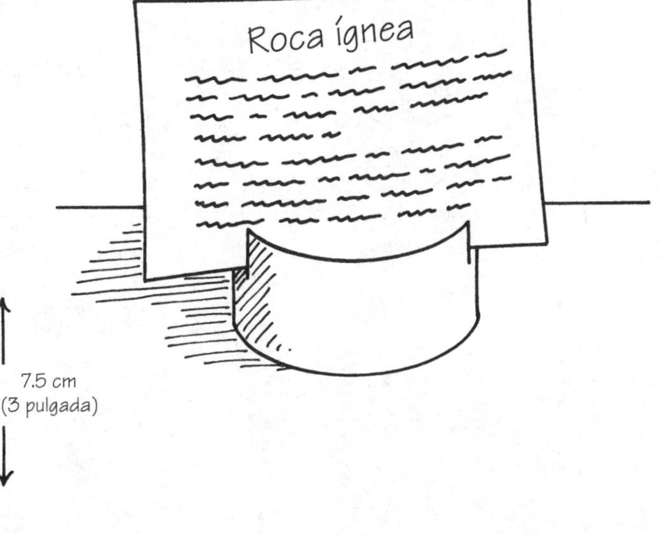

Glosario

aceleración gravitacional Aceleración debida a la gravedad; la aceleración gravitacional aproximada de la Tierra es de 9.8 m/s^2 (32 $pies/s^2$).
acelerar Aumentar la velocidad.
ácido Sustancia química que se desdobla cuando se agrega al agua, formando primero un ion hidrógeno. Los iones hidrógeno se combinan con agua, formando iones hidronio; los ácidos tienen sabor acidulado.
activo En referencia a volcanes, un volcán que ha hecho erupción en el curso del siglo anterior.
aire Nombre de la mezcla de gases de la atmósfera terrestre que incluye nitrógeno y oxígeno y que sustenta la vida tal como la conocemos.
álcali Otro nombre de base.
angiosperma Planta con flores.
anión Ion con carga negativa.
antebrazo La parte inferior de una extremidad superior comprendida entre el codo y la muñeca.
antera Parte del estambre que produce granos de polen.
año terrestre Trescientos sesenta y cinco días.
apertura En los telescopios, el diámetro de la lente que recibe la luz en un telescopio de refracción o el espejo primario en un telescopio de reflexión.
articulación Lugar donde se unen dos huesos. *Ver* articulaciones fijas, articulaciones movibles y articulaciones ligeramente movibles.
articulación de bisagra Articulación que puede moverse en una dirección, como la bisagra de una puerta; por ejemplo, las articulaciones de las rodillas, codos y dedos.
articulación de pivote Articulación que permite la rotación, como en el lugar donde el cráneo se une con la espina dorsal.
articulaciones compuestas Varias articulaciones entre huesos que funcionan en conjunto para permitir que los huesos se muevan en diferentes direcciones.
articulaciones de deslizamiento Articulaciones en las cuales los huesos se mueven con facilidad uno sobre otro, como en la muñeca o entre las vértebras.
articulaciones fijas Articulaciones que no permiten movimiento alguno, como las del cráneo.
articulaciones ligeramente movibles Articulaciones de movimiento limitado, como las que unen las costillas a la espina dorsal.
articulaciones movibles Articulaciones que se pueden mover libremente.
astenosfera Capa semisólida de la Tierra que constituye la capa superior del manto, entre la mesosfera y la litosfera.
asterismo Grupo de estrellas con una forma reconocible dentro de una constelación.
asteroides Planetas menores; pequeños cuerpos rocosos que orbitan el Sol, principalmente entre las órbitas de Marte y Júpiter.
atmósfera La cubierta de gas que rodea un cuerpo celeste.
átomo La partícula más pequeña de un elemento químico que conserva las propiedades de dicho elemento.
atraer Acercar y retener.
bacterias Organismos unicelulares formados de células procarióticas.
balanza Instrumento utilizado para medir la masa.
báscula de resortes Instrumento utilizado para medir el peso de un objeto.
base Sustancia química que se descompone al agregarle agua para formar iones hidróxido; las bases tienen un sabor amargo.
bíceps El gran músculo flexor situado en el lado anterior del brazo; el músculo que levanta el antebrazo.
bloque de falla La roca en cualquiera de los dos lados de un plano de falla.
bloque de piso Con referencia a una falla con movimiento vertical, el bloque de falla que está abajo del plano de falla.
bloque de techo Con referencia a una falla de movimiento vertical, el bloque de falla situado arriba del plano de falla.
bombas volcánicas Grandes rocas que salen por la chimenea de un volcán durante una erupción violenta.
bronquios Órganos respiratorios que constan de tubos cortos que dirigen el aire a los pulmones.
brújula Instrumento para orientarse con una aguja magnética que siempre apunta al Norte.

calor Energía que se transfiere de un material caliente a uno frío.
cámara de magma Sitio donde se acumula roca fundida en las profundidades de la Tierra.
cambio físico Cambio en el cual las propiedades físicas de una sustancia pueden modificarse, pero sin que las partículas que constituyen la sustancia sufran cambios.
campo magnético El espacio alrededor de un imán que afecta a los materiales magnéticos y/o a otro imán.
capullo La envoltura de seda protectora de la etapa de pupa de muchos insectos, en particular las polillas.
carga Propiedad de las partículas interiores del átomo que produce una fuerza entre las mismas; también llamada **carga eléctrica**.
carga eléctrica La propiedad de las partículas interiores de los átomos que hace que éstas se atraigan o se rechacen entre sí. Hay dos tipos de carga eléctrica: una carga positiva y una carga negativa. *Ver* protón y electrón.
carpelo El órgano reproductor femenino de una planta.
cartílago Tejido firme pero flexible que proporciona forma y sostén al cuerpo de algunos animales.
catión Ion con carga positiva.
células Los elementos fundamentales de los organismos; la estructura más pequeña que puede realizar procesos vitales, como incorporar alimentos, eliminar desechos y reproducirse.
células eucarióticas Células con un núcleo que se encuentran en la mayor parte de los organismos y en todos los organismos multicelulares, incluyendo plantas y animales.
células procarióticas Células sin núcleo, presentes en organismos unicelulares como las bacterias.
cementado Aglutinado, quedar pegado.
centímetro cúbico (cm^3) Unidad métrica común de volumen determinado al multiplicar largo × ancho × alto medidos en centímetros.
chimenea volcánica Abertura en forma de tubo en la corteza terrestre que comunica el cráter de un volcán con la cámara de magma.
cianobacterias Organismos unicelulares compuestos de células procarióticas; antes llamadas algas verdiazules.
ciclo de las rocas Cambio de las rocas de un tipo a otro por una serie de procesos en los que intervienen calor, presión, fusión, enfriamiento y sedimentación.
circuito abierto Circuito eléctrico en el que hay una interrupción en la trayectoria formada por los conductores.
circuito cerrado Circuito eléctrico en el que la trayectoria formada por los conductores es continua.
circuito eléctrico La trayectoria por la que se mueven las cargas eléctricas.
circuito en paralelo Circuito eléctrico en el cual la corriente eléctrica puede seguir más de una trayectoria.
circuito en serie Circuito eléctrico en el que hay una sola trayectoria para la corriente.
citoplasma Materia transparente y gelatinosa que consta principalmente de agua y que ocupa la región entre el núcleo y la membrana celular. Contiene sustancias y partículas que colaboran para el mantenimiento de la vida.
codo 1) La articulación que une los huesos del brazo con el antebrazo. 2) Medida antigua equivalente a la distancia entre el codo y la punta del dedo medio.
cojinete Con referencia a los huesos, el material de relleno suave que evita la presión excesiva o el roce entre los huesos.
columna vertebral Espina dorsal.
cometa Cuerpo formado por polvo, gases y hielo que se mueve en una órbita en extremo alargada alrededor del Sol.
compactado Comprimido.
compresión Fuerzas que ejercen presión sobre las rocas, haciendo que formen pliegues, se doblen y en ocasiones se rompan.
comprimir Aplastar.
compuesto Sustancia formada por dos o más elementos diferentes.
compuesto iónico Compuesto que consta de aniones y cationes.
compuesto molecular Compuesto integrado por moléculas del mismo género.
cóncavo Curvo hacia adentro, como la superficie de un plato.
concentración La cantidad de materia por unidad de volumen.
condensación Cambio de un gas a líquido.
conductor Material que permite el paso expedito de calor o cargas eléctricas.
congelarse El cambio de un líquido a sólido.
constelación Grupo de estrellas que parecen formar una figura reconocible en el cielo.
constelaciones circumpolares del norte Constelaciones del Hemisferio Norte que contienen las estrellas circumpolares del norte; constelaciones que siempre se encuentran arriba del horizonte y parecen girar alrededor de la Estrella Polar.
contraer Encoger.
conversión de energía El cambio de la energía de una forma a otra.
convexo Curvo hacia afuera, como la superficie de una pelota.

corteza La capa más externa de la Tierra, que mide unos 70 km (44 millas) de ancho en algunas regiones montañosas y 8 km (5 millas) en promedio bajo el océano.

cráter 1) Depresión que se encuentra en la cima de un volcán. 2) Depresión en forma de cuenco en la superficie de un cuerpo celeste. *Ver* cráter de impacto.

cráter de impacto Depresión en forma de cuenco producida por el impacto de un cuerpo sólido.

creciente Que aumenta de tamaño.

crisálida La envoltura protectora de la pupa en ciertos insectos, en particular las mariposas.

cualitativo Relacionado con la característica de algo, como estar caliente o frío.

cuantitativo Relacionado con la medición de la cantidad de algo, como una temperatura exacta.

cuarta Medida de longitud igual a la distancia entre la punta del pulgar y la punta del dedo meñique de una mano extendida.

cuarto creciente Fase de la Luna en la que está iluminada la mitad de la cara lunar que da a la Tierra; la fase de la Luna después de que ha transcurrido una cuarta parte del mes lunar.

cuarto menguante Fase de la Luna que sigue a la luna llena, en la que la mitad de la cara de la Luna que da a la Tierra está iluminada; la fase lunar en que han transcurrido tres cuartas partes del mes lunar.

cuerpos celestes Objetos que se encuentran de manera natural en el cielo, como estrellas, soles, lunas y planetas.

cuerpos de Golgi Estructuras celulares donde se almacenan las proteínas hasta que se necesitan.

cuña Plano inclinado que se mueve; una máquina simple.

densidad La medida de la masa o el peso de un volumen determinado de materia.

desgarro Fuerza que ejerce presión sobre la roca desde direcciones diferentes, haciendo que se tuerza y se rompa.

detritos Fragmentos dispersos de un cuerpo que se ha desagregado.

día terrestre Veinticuatro horas.

diluir Agregar agua a una solución preparada con agua.

diorama Escena tridimensional en miniatura con figuras colocadas frente a un fondo pintado.

distancia de esfuerzo (d_E) La distancia a través de la cual se aplica una potencia.

distancia de resistencia (d_R) Con referencia a la realización de trabajo, la distancia que se mueve un objeto.

dominios Grupos de átomos en un imán o material magnético que actúan como diminutos imanes.

ecuador Línea imaginaria situada en medio entre el Polo Norte y el Polo Sur que divide la Tierra en dos partes: el Hemisferio Norte y el Hemisferio Sur.

eje Línea imaginaria que pasa por el centro de un cuerpo y alrededor de la cual gira dicho cuerpo.

electricidad Forma de energía asociada con la presencia y movimiento de cargas eléctricas.

electricidad dinámica El movimiento de cargas eléctricas.

electricidad estática Acumulación de cargas eléctricas estacionarias.

electrón Partícula con carga negativa que gira alrededor de la parte exterior del núcleo de un átomo.

elemento Sustancia compuesta de un solo tipo de átomos. *Ver* elementos naturales y elementos sintéticos.

elementos naturales Elementos que se encuentran en la naturaleza, como carbono, oxígeno, nitrógeno y mercurio.

elementos sintéticos Elementos elaborados en laboratorio por científicos, como el californio, el plutonio, el nobelio y el einsteinio.

élitros Pequeñas excreciones parecidas a alas que crecen en las ninfas.

energía La capacidad de un objeto de provocar cambios, o la capacidad de realizar trabajo.

energía cinética (EC) La energía que tiene un objeto debido a su movimiento.

energía cinética promedio La energía térmica dividida entre el número total de partículas.

energía gravitacional potencial (EGP) Energía potencial debida a la altura de un objeto sobre la superficie.

energía mecánica La energía del movimiento; la energía de un objeto que se mueve o es capaz de movimiento; la suma de la energía cinética y la energía potencial de un objeto.

energía potencial (EP) La energía asociada con la posición o condición de un objeto que se puede convertir en energía cinética.

energía térmica La suma de la energía cinética de todas las partículas que constituyen un material.

equinoccio de otoño El primer día del otoño, el 23 de septiembre o un día cercano en el Hemisferio Norte.

equinoccio de primavera El primer día de la primavera, alrededor del 22 de marzo en el Hemisferio Norte.

erupción volcánica Cuando un volcán expulsa lava, cenizas, detritos y/o gas.
escala Razón entre las medidas de un diagrama o un modelo y las medidas reales de un objeto.
escala del pH Escala especial para medir la naturaleza ácida o alcalina de una sustancia.
esferoidea Articulación móvil que permite movimientos en varias direcciones, como la articulación entre los huesos del muslo y la cadera.
esfuerzo Fuerza.
espermatozoide Célula reproductiva masculina.
estación Una de las cuatro divisiones del año —invierno, primavera, verano y otoño— caracterizada por las diferencias en la temperatura promedio y en el tiempo que el Sol permanece en el cielo cada día.
estaciones climáticas Divisiones del año basadas en los cambios de temperatura.
estados de la materia Las formas en que existe la materia. Los tres estados principales de la materia son: sólido, líquido y gaseoso.
estambre El órgano reproductor masculino de una flor.
estigma Parte superior pegajosa del carpelo que retiene los granos de polen que llegan a él.
estilo Estructura tubular que sostiene el estigma y lo comunica con el ovario.
estrella fugaz Meteoro.
estrella Polar La estrella hacia la que apunta el extremo norte del eje de la Tierra.
estrellas Cuerpos celestes compuestos de gases que están tan calientes que producen luz.
estrellas circumpolares del norte Las estrellas del Hemisferio Norte que siempre se encuentran arriba del horizonte y giran alrededor de la Estrella Polar.
evaporación El cambio de un líquido a gas en la superficie del líquido.
exoesqueleto La cubierta exterior de un insecto.
extensor Músculo que estira una articulación.
extinto Con referencia a un volcán, uno que no ha tenido erupciones en miles de años y que muy probablemente nunca volverá a ser activo.
falla Fractura considerable en las capas de roca de la Tierra, la cual se forma cuando las rocas no sólo se rompen sino que también se deslizan a uno de los dos lados de la fractura.
falla de desplazamiento de inclinación Falla en la que el movimiento es vertical y el plano de falla suele ser inclinado. *Ver* falla normal y falla inversa.
falla de desplazamiento de rumbo *Ver* falla lateral.
falla inversa Falla de desplazamiento de inclinación causada por compresión en la que el bloque de techo se mueve hacia arriba en relación con el bloque de piso.
falla lateral Falla producida por desgarro, en la cual el movimiento de los bloques de la falla a lo largo de un plano de falla vertical es principalmente horizontal, hacia la izquierda o la derecha, con poco o ningún movimiento hacia arriba o hacia abajo. También llamada **falla de desplazamiento de rumbo**.
falla lateral derecha Con respecto a un observador parado en uno de los bloques de la falla, es una falla lateral en la que el otro bloque se mueve hacia la derecha.
falla lateral izquierda Con respecto a un observador parado en uno de los bloques de la falla, falla lateral en la cual el otro bloque se mueve hacia la izquierda.
falla normal Falla de desplazamiento de inclinación producida por tensión, en la cual el bloque de techo baja en relación con el bloque de piso.
fases de la Luna Las formas de la superficie de la Luna que da a la Tierra cuando es iluminada por el Sol.
fecundación La unión de un espermatozoide y un huevo.
filamento 1) La parte alargada del estambre que sostiene la antera. 2) Pequeño alambre dentro de un foco eléctrico que brilla cuando se calienta y produce luz.
flexor Músculo que dobla una articulación.
flor El sistema reproductor de las angiospermas.
flor completa Flor que cuenta con las cuatro partes básicas siguientes: estambres, pistilo (carpelo), pétalos y sépalos.
flor incompleta Flor que carece de una o más de las cuatro partes básicas de la flor: estambres, pistilo (carpelo), pétalos y sépalos.
fórmula La combinación de símbolos de los elementos utilizados para representar una molécula.
fracturarse Romperse con bordes irregulares o serrados.
fricción La fuerza que se opone al movimiento de dos superficies en contacto.
fuerza de resistencia (F_R) La fuerza contra la cual tú y la máquina trabajan.
fuerza magnética La atracción que ejercen los imanes entre sí o sobre materiales magnéticos; también llamada magnetismo.
fulcro Punto de apoyo alrededor del cual gira una palanca.
fusión Cambio de sólido a líquido.
galaxia Grupo de millones de estrellas, gas, polvo y otros cuerpos celestes.
gaseoso El estado de la materia sin forma ni volumen definidos.
geocéntrico Con centro en la Tierra.
gibosa Fase de la Luna en la que más de la mitad de la cara de la Luna que da a la Tierra está iluminada.

girar Rotar.
gramo (g) La unidad de masa métrica básica.
granos de polen Células que forman el esperma.
gravedad La fuerza de atracción entre dos masas cualesquiera.
grieta Amplia fractura en capas rocosas de la Tierra en la que no se produce movimiento en lado alguno del corte.
heliocéntrico Con centro en el Sol.
Hemisferio Norte Parte de la Tierra al norte del ecuador.
Hemisferio Sur Parte de la Tierra al sur del ecuador.
hidróxido, OH^{-1} Ion formado cuando una base se disuelve en agua.
horizonte Línea donde el cielo parece tocar la Tierra.
huevo 1) La primera etapa de la metamorfosis. 2) Célula reproductora femenina.
imagen La forma de un objeto producida por una lente o un espejo.
imán Objeto que atrae el hierro y otros materiales magnéticos, incluyendo el cobalto y el níquel.
inactivo Con referencia a volcanes, uno que no ha mostrado actividad durante varios siglos, pero que podría volverse activo.
inclinado En declive.
indicador Sustancia química que cambia de color en un ácido y/o en una base.
inorgánica Sustancia sin vida, que nunca estuvo viva y que no resultó de un proceso vital.
intemperización El proceso mediante el cual las rocas se rompen en fragmentos más pequeños.
invierno La estación entre el otoño y la primavera, alrededor del 22 de diciembre en el Hemisferio Norte, con días y noches fríos.
ion Átomo o grupo de átomos con carga positiva o negativa.
ion hidronio, H_3O^+ Ion que se forma cuando un ácido se disuelve en agua.
larva La segunda etapa activa de la metamorfosis con forma de gusano.
latitud Distancia en grados norte y sur respecto del ecuador, cuya latitud es de 0°.
lava Roca fundida proveniente del interior de la Tierra que llega a la superficie del planeta.
lente objetivo Lente en el extremo de un telescopio que apunta al objeto que se observa.
ligamento Banda resistente de tejido conectivo ligeramente elástico que une los huesos.
líneas de fuerza magnética Patrón de líneas que representa el campo magnético alrededor de un imán.
líquido El estado de la materia con un volumen definido pero sin forma definida.
líquido sinovial Líquido espeso presente en las articulaciones, el cual reduce la fricción.
lisosomas Sacos situados dentro de las células que contienen sustancias químicas utilizadas para destruir sustancias dañinas o partes de células desgastadas. Numerosos en células que combaten enfermedades, como los leucocitos (glóbulos blancos), que destruyen invasores peligrosos y desechos de células.
litosfera La capa sólida exterior de la Tierra encima de la astenosfera.
litro (l) Unidad métrica de volumen básica igual a 1000 cm^3.
longitud La distancia entre un punto y otro.
lubricante Sustancia que reduce la fricción entre materiales que están en contacto, como los huesos en articulaciones movibles.
luna Cuerpo que gira alrededor de un planeta y brilla tan sólo por la luz que refleja. El nombre de la luna de la Tierra es la Luna.
luna llena Fase de la Luna cuando la cara de la Luna que da a la Tierra está iluminada en su totalidad.
luna nueva Fase de la Luna cuando la cara de la Luna que da a la Tierra no está iluminada.
magnetismo *Ver* fuerza magnética.
magnetita Piedra magnética compuesta de mineral de hierro. También llamada piedra imán.
manto El estrato intermedio y más extenso de la Tierra, con un espesor de unos 2900 km (1812 millas). Los minerales más comunes en este estrato son silicatos.
manto de deyecciones El material expulsado por un meteorito que regresa a la superficie, llenando en parte un cráter de impacto y formando una capa a su alrededor.
máquina Dispositivo que ayuda a realizar trabajo.
máquinas simples Las máquinas más básicas: plano inclinado, cuña, tornillo, palanca, torno y polea.
masa Cantidad de materia que constituye un material.
materia Todo aquello que ocupa un lugar en el espacio y tiene masa.
media luna Fase lunar en la que se observa una pequeña zona iluminada de la Luna parecida a unos cuernos de vaca.
membrana celular La delgada envoltura exterior de la célula que la mantiene unida, protege las partes internas y permite la entrada y salida de sustancias.
menguante Que disminuye de tamaño.
mes lunar El tiempo que transcurre entre dos lunas nuevas; unos 29 días.

mesosfera Capa sólida de la Tierra que inicia en el límite del núcleo exterior y constituye la mayor parte del manto.
metamorfosis completa El proceso de cuatro etapas del desarrollo de los insectos, de huevo a larva, a crisálida y a adulto.
metamorfosis incompleta El proceso de tres etapas del desarrollo de los insectos, de huevo a ninfa y a adulto.
meteorito Meteoro que choca con la superficie de la Tierra o de cualquier cuerpo celeste.
meteoritos rocosos Meteoritos compuestos de un material similar al que se encuentra en las rocas de la Tierra.
meteoro meteoroide que ha entrado en la atmósfera de un cuerpo celeste; la raya de luz producida por un meteoroide en vaporización cuando pasa por la atmósfera terrestre; es común llamarlo estrella fugaz.
meteoroides Todos los detritos sólidos de nuestro sistema solar que orbitan el Sol.
metro (m) Unidad de longitud métrica básica.
mineral Sustancia compuesta por un solo elemento o compuesto químico con las siguientes características básicas: 1) se encuentra en la naturaleza; 2) es inorgánico; 3) tiene una composición química definida, y 4) es un sólido cristalino.
mitocondria La central de energía de una célula, el alimento y el oxígeno reaccionan a fin de producir la energía necesaria para la actividad y la vida de las células.
modelo Representación de un objeto o sistema existente, incluyendo diagramas y estructuras tridimensionales.
modelo a escala Réplica hecha en proporción con el objeto que representa.
molécula diatómica Molécula compuesta de dos átomos de elementos iguales o distintos.
muda Proceso de desechar un exoesqueleto.
multicelular Constituido por muchas células.
muñeca Articulación que conecta el antebrazo con la mano.
músculo El tejido que produce movimiento.
músculos cardíacos Músculos involuntarios que sólo se encuentran en el corazón y constan de células estrechamente entretejidas.
músculos esqueléticos Músculos unidos a huesos.
músculos involuntarios Músculos que no pueden controlarse a voluntad.
músculos lisos Músculos que forman los órganos internos, como los pulmones; músculos que hacen tiritar y ponen la piel de gallina debido al frío.
músculos voluntarios Músculos que se pueden controlar a voluntad.
nariz Órgano respiratorio por el cual el aire entra al cuerpo.
néctar Líquido azucarado producido por muchas flores en la base de sus pétalos y que es el alimento de muchos insectos.
neutro Que no tiene propiedades ácidas ni alcalinas.
newton Unidad métrica de peso.
ninfa Insecto joven que tiene aspecto de adulto, pero que es más pequeño y no tiene alas.
núcleo 1) El cuerpo esférico u ovalado de una célula que contiene los elementos que controlan la actividad celular. 2) La región central de un átomo que contiene protones de carga positiva. 3) El estrato central de la Tierra, que se cree está constituido principalmente por dos metales: hierro y níquel. Este estrato interno tiene un espesor aproximado de unos 3400 km (2125 millas).
núcleo exterior Capa exterior líquida del núcleo terrestre.
núcleo interior El estrato sólido interior del núcleo de la Tierra; región con presión y temperatura máximas.
ocular La lente de un telescopio a través de la cual se mira.
omóplato Uno de los huesos del hombro.
órbita La trayectoria curva de un cuerpo celeste alrededor de otro, como los planetas alrededor del Sol.
orbitar Moverse siguiendo una trayectoria curva alrededor de otro cuerpo; girar.
organelos Pequeños órganos dentro del citoplasma de una célula que trabajan en conjunto para mantener la vida.
organismo Ser vivo.
órgano Grupo de varios tejidos diferentes que trabajan en conjunto para realizar una tarea particular.
otoño La estación climática entre el verano y el invierno con días y noches frescos.
ovario La base redonda de un pistilo donde se forman las semillas.
óvulos Partes del ovario en el pistilo de una planta con forma de semillas que contienen los huevos.
palanca Barra rígida que puede girar libremente alrededor de un punto fijo llamado fulcro; una máquina simple.
paso Separación de la rosca de un tornillo.
pedúnculo Tallo que une una flor con el resto de la planta.
péndulo Peso colgado de manera que puede oscilar libremente alrededor de un punto fijo.
peso En la Tierra, la medida de la fuerza gravitacional de la Tierra que actúa sobre un objeto.

pétalos Las estructuras en forma de hojas que rodean la flor y ayudan a proteger sus órganos reproductivos.

pie 1) Medida de longitud originalmente igual al largo del pie de una persona, la cual se dividió primero en 16 partes y más tarde en 12 partes. 2) Medida moderna igual a 12 pulgadas (30.48 cm).

piedra imán Magnetita. Piedra magnética utilizada para hacer brújulas; también conocida como piedra guía.

piel de gallina Pequeño abultamiento sobre la piel alrededor de un vello creado por la contracción de músculos lisos unidos al vello.

pila Dispositivo que emplea sustancias químicas para producir electricidad.

pistilo *Ver* carpelo.

planeta Cuerpo que gira alrededor de un sol y brilla sólo gracias a la luz que refleja.

planetas inferiores Planetas cuya órbita se encuentra más cerca del Sol que la órbita de la Tierra; Mercurio y Venus.

planetas mayores Planetas con diámetro mayor que el de Ceres, el asteroide más grande; Mercurio, Venus, Tierra, Marte, Júpiter, Saturno, Urano, Neptuno y Plutón.

planetas menores Asteroides; pequeños cuerpos rocosos que orbitan el Sol.

planetas superiores Los planetas cuya órbita está más alejada del Sol que la órbita de la Tierra; Marte, Júpiter, Saturno, Urano, Neptuno y Plutón.

plano Superficie sin irregularidades.

plano de falla La línea de fractura de una falla.

plano inclinado Rampa o un dispositivo similar en forma de cuña que facilita la realización de una cantidad de trabajo dada; una máquina simple.

plasma La parte líquida de la sangre en la que están suspendidas las células sanguíneas.

plasticidad La condición de una sustancia que se encuentra entre la fase líquida y la sólida.

polea Palanca que gira alrededor de un punto fijo.

polea fija Polea estacionaria, en la que la polea gira a medida que la cuerda pasa sobre la rueda, y se sube una carga mientras se tira de la cuerda.

polea móvil Polea que se fija al objeto que se está moviendo.

polinización La transferencia de granos de polen de la antera al estigma.

polo magnético Las regiones de un imán donde el campo magnético es más intenso. *Ver* polo norte y polo sur.

polo norte El extremo de un imán que es atraído por el polo norte magnético de la Tierra.

Polo Norte El extremo norte del eje terrestre.

polo norte magnético Sitio cerca del Polo Norte de la Tierra que atrae el polo norte de todos los imanes.

polo sur El extremo de un imán que es atraído por el polo magnético sur de la Tierra.

Polo Sur El extremo sur del eje terrestre.

polo sur magnético Sitio cerca del Polo Sur de la Tierra que atrae el polo sur de todos los imanes.

potencia (P) La fuerza aplicada a una máquina.

primavera La estación entre el invierno y el verano con días cálidos y noches frescas.

propiedades físicas Características de una sustancia que se pueden medir y/u observar sin cambiar la estructura de la sustancia.

proteína Nutriente utilizado para el crecimiento y la regeneración.

protón Partícula de carga positiva situada dentro del núcleo de un átomo.

pulgada Medida de longitud del sistema inglés equivalente a 2.54 cm.

pulmones Órganos respiratorios donde se intercambian gases.

punto de congelación La temperatura a la cual se congela un líquido.

punto de ebullición La temperatura a la que se produce la evaporación de un líquido.

punto de fusión Temperatura a la cual una sustancia cambia de sólido a líquido.

punto focal El punto donde confluyen los rayos luminosos que pasan por una lente.

pupa La tercera etapa, la de reposo, de una metamorfosis completa, durante la cual la larva se transforma en adulto.

razón gravitacional (RG) Con referencia a un cuerpo celeste, la gravedad del cuerpo dividida entre la gravedad de la Tierra.

receptáculo Parte de la planta entre la base de una flor y el extremo del pedúnculo que la sostiene.

refractado Desviado.

relajar Tratándose de músculos, significa estirar.

repeler Rechazar.

reproducción El proceso mediante el cual se producen nuevos organismos.

reproducción sexual La formación de un nuevo organismo por fecundación.

retícula cristalina Disposición rígida y ordenada de las partículas en un sólido cristalino.

retículo endoplásmico (RE) Red de tubos que fabrican, procesan y transportan materiales dentro de las células que contienen un núcleo. El RE está conectado a la membrana nuclear y se extiende dentro del citoplasma. Hay dos tipos de RE: rugoso y liso. El RE rugoso está cubierto de ribosomas.

ribosomas Estructuras diminutas que se encuentran libres en el citoplasma o en la superficie del retículo endoplásmico rugoso. La estructura donde se elabora la proteína.

roca Sólido presente en la naturaleza compuesto de uno o más minerales.

roca ígnea Roca producida por el enfriamiento y solidificación de roca líquida.

roca metamórfica Roca que ha sufrido cambios debido a temperaturas y presiones elevadas dentro de la corteza terrestre.

roca sedimentaria Roca formada por depósitos de sedimento.

rotar Girar alrededor de un eje, como la rotación de la Tierra alrededor de su eje.

sangre Tejido propio de los vertebrados compuesto de varios tipos de células sanguíneas suspendidas en un líquido llamado plasma. La sangre transporta oxígeno y nutrientes a las células del cuerpo y se lleva los desechos de las células.

sedimento Roca y tierra suelta que el viento, la lluvia o el hielo han transportado y depositado en otro sitio.

semilla Parte de una planta con flores a partir de la cual crece una nueva planta.

sépalos Estructuras parecidas a hojas que rodean y protegen una flor antes de que abra.

SI (Sistema Internacional) Acuerdo internacional respecto del método para usar el sistema de medidas métricas.

silicatos Sustancias químicas compuestas de los elementos silicio y oxígeno combinados con otro elemento, como hierro y magnesio.

símbolo Con respecto a sustancias químicas, las letras usadas para representar un átomo de un elemento particular.

sismo Sacudida del suelo provocada por movimientos rápidos de la corteza terrestre.

sistema circulatorio Partes del cuerpo, incluyendo el corazón y los vasos sanguíneos, que funcionan en conjunto para transportar sangre por todo el cuerpo.

sistema de órganos Grupo de órganos que trabajan en conjunto para realizar una tarea particular.

sistema imperial Sistema de medidas estándares establecido en 1305 por el rey Eduardo I de Inglaterra.

sistema reproductivo Sistema que contiene los órganos para la reproducción.

sistema respiratorio Partes del cuerpo que trabajan en conjunto para ayudarte a respirar.

sistema solar Un sol y todos los cuerpos celestes que lo orbitan.

sol Una estrella con un grupo de cuerpos celestes que orbitan a su alrededor. El nombre de la estrella de nuestro sistema solar es el Sol.

sólido Estado de la materia. *Ver* sólido amorfo y sólido cristalino.

sólido amorfo Sólido que no tiene una estructura interna ordenada; sólidos sin retículas cristalinas.

sólido cristalino Sólido compuesto de retículas cristalinas.

sólido no cristalino Sólido que no está compuesto de retículas cristalinas y es amorfo.

solsticio de verano El primer día del verano, alrededor del 22 de junio, en el Hemisferio Norte.

solución Mezcla de sustancias perfectamente homogénea.

sustancia Parte básica de materia constituida por un solo tipo de elementos o compuestos.

sustancia química Sustancia o mezcla de sustancias.

tefra Lava expulsada al aire por una erupción volcánica violenta que se solidifica cuando va cayendo al suelo.

tejido Grupo de células similares con funciones similares.

tejido conectivo Tejido que mantiene unidas las partes internas del cuerpo, incluyendo los huesos.

telescopio Instrumento usado para que objetos distantes aparezcan más cercanos y grandes.

telescopio de Newton Ver telescopio de reflexión.

telescopio de reflexión Telescopio que usa lentes y espejos para hacer que los objetos lejanos aparezcan más cercanos. También llamado **telescopio de Newton**.

telescopio de refracción Telescopio que sólo usa lentes para hacer que los objetos distantes aparezcan más cercanos.

temperatura 1) Medida de qué tan caliente o frío está un objeto. 2) La energía cinética promedio de las partículas de un material, calculada al dividir la energía térmica entre el número total de partículas.

tendón Tejido resistente no elástico que une algunos músculos esqueléticos con los huesos.

tensión Fuerzas de estiramiento que pueden tener la intensidad suficiente para separar las rocas.

terminal El punto donde se hace la conexión a un aparato eléctrico.

terminal negativa Terminal con carga negativa.

terminal positiva Terminal con carga positiva.

termómetro Instrumento que mide la temperatura de un material.

tiritar Estremecerse los músculos debido al frío.

tornillo Plano inclinado alrededor de un cilindro, el cual forma resaltos en espiral; una máquina simple.
torno Palanca que gira en círculo.
trabajo Lo que se logra cuando una fuerza hace que un objeto se mueva; la cantidad de fuerza aplicada sobre un objeto multiplicada por la distancia que el objeto recorre en la dirección de la fuerza; la transferencia de energía que tiene lugar cuando una fuerza hace que un objeto se mueva.
tríceps Músculo extensor de la parte posterior del brazo; músculo que baja el antebrazo.
tubo de polen Tubo largo que crece a partir de un grano de polen y baja por el estilo de una flor hasta el óvulo a través del cual el esperma avanza para llegar a los huevos de un óvulo.
uncia Medida de longitud romana igual al ancho del pulgar de un hombre. Había 12 uncias en un pie.
unicelular Que consta de una sola célula.
vapor El estado gaseoso de una sustancia, como el agua, que en condiciones normales es líquido o sólido.
vaporizar Cambiar a gas.
vasos sanguíneos Órganos en forma de tubos dentro de un organismo a través de los cuales fluye la sangre.
ventaja mecánica (VM) Número de veces que una máquina aumenta la potencia.
verano La estación climática que sigue a la primavera, con días calurosos y noches templadas.
vértebra Una de las estructuras óseas que constituyen la columna vertebral.
viscosidad La medida de la rapidez con que fluye un líquido.
volcán Montaña o colina formada por la acumulación de materiales arrojados por una erupción a través de una o más aberturas en la superficie de la Tierra.
volcán compuesto Volcán en forma de cono constituido por capas alternadas de lava solidificada y partículas rocosas; un volcán que es una combinación de un cono de escoria y uno de escudo.
volcán cono de escoria Volcán formado por una erupción explosiva en la que se acumula tefra en un cono de laderas muy inclinadas y consistencia esponjosa.
volcán de escudo Volcán compuesto de capas de lava solidificada, una base ancha y una abertura grande en forma de cuenco en la cima.
volumen Cantidad de espacio que ocupa un objeto.
zonas templadas Las dos regiones entre las latitudes 23.5° y 66.5° norte y sur del ecuador.

Índice

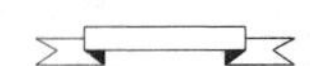

LA EDICIÓN, COMPOSICIÓN, DISEÑO E IMPRESIÓN DE ESTA OBRA FUERON REALIZADOS
BAJO LA SUPERVISIÓN DE GRUPO NORIEGA EDITORES
BALDERAS 95, COL. CENTRO. MÉXICO, D.F. C.P. 06040
2231500000107544DP9200IE